こちら葛飾区亀有公園前派出所 ㉔

こちら葛飾区亀有公園前派出所㉔

目次

こちら葛飾区
亀有公園前
派出所24

巡査登場の巻

麗子

みなさまのおかげで
コミックスも
ついに11巻と
なりました
週刊の連載の方も
ますます快調！
登場人物もうちそろって
ごあいさつに
参上しました
これからも応援してね!!
亀有
みかん

寺井《てらい》が
オタフクかぜに
なっただと!?
あんなもの
ガキが
かかる
病気じゃ
ないのか!?
そうなんだ
当分
休むらしい
ぜ………
今日から
補欠員が
ひとり　くる
らしい……
この派出所に
一日　いたら
にげだして
しまうんじゃ
ないですか?
まったくだ
ん☆
うわっ

わわっ
ぎゃあ
警視庁
ドガ
どこのどいつだっ車ごとはいってきやがって!!
警視庁

ドタム
ごめんな さいねぇ 車が かってに この中に とびこんだの
ちょっと アクセルを ふんだだけで すぐ100キロ でてしまうのよ やあねぇ この車
いやあ まったく 車が 悪いよ!
今日から 補欠員勤務に きました 秋本麗子《あきもとれいこ》巡査 ですわ
よろしくね!
婦警さんが 派出所 勤務するの か!?
いい だろうがっ 器量が よければ なにやっても ゆるす!
うちの署も 男手が たりない らしいのよ
それに しても……

ずいぶんときたない派出所ねぇ よく こんなとこで 生きていられるわね!
いやあ顔のわりにいうことがきつい人!
野性的でいいじゃねえか これが男の職場ってもんよ!
そうかしら…
この車なんとかしてくれよ 手を ケガしたじゃないか
あらごめんなさい…
この車アクセルが軽すぎて運転しづらいのよ
そうネ 車が 悪い 車が…めっ

うわっ
ブロロ
ガリッ
ギギ
あっ また ぶつかった!!
うぬ〜〜〜 しかし… 美人で… ボインだから ゆるしちゃう
なにするのよ!
そっちが いきなり くるから だぞっ!

あなたの前方不注意のせいよ！
突然派出所からでてくる車なんかよけられると思うか！
自分の罪をみとめないのなら逮捕します
おおい！
あっぶつけた相手を逮捕しちゃった!!
いかに美人でもゆるせん！女は すぐ感情的になる！
おい！こらやめんかっ
まったく派出所の前でぶつけやがってもう〰〰
先輩！相手は 女ですらんぼうは やめてくださいよ
ばっ ばか！人ぎきのわるい言葉つかうな！

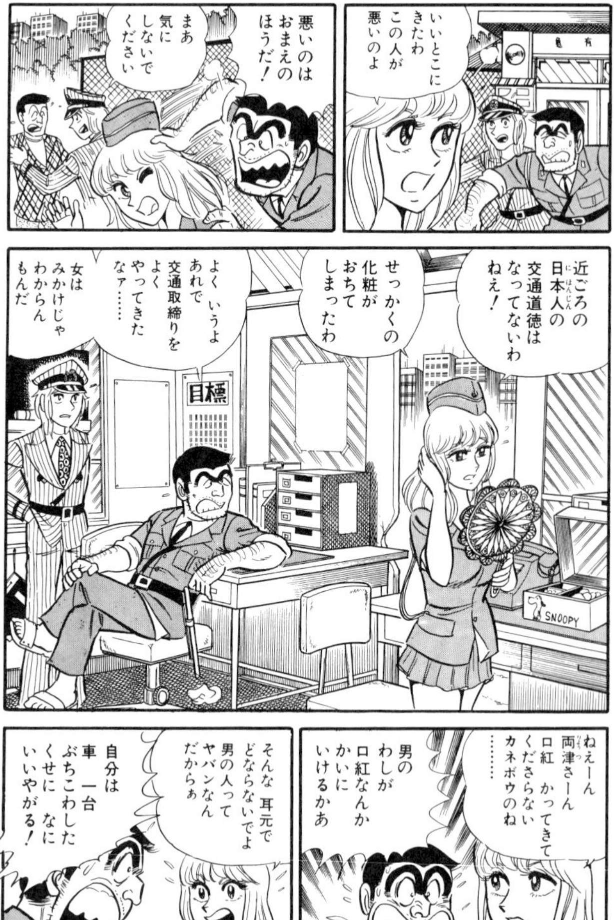
亀有
いいとこに きたわ この人が 悪いのよ
悪いのは おまえの ほうだ!
まあ 気に しないで ください
近ごろの 日本人《にほんじん》の 交通道徳は なってないわ ねえ!
せっかくの 化粧が おちて しまったわ
よく いうよ あれで 交通取締りを よく やってきた なァ……
女は みかけじゃ わからん もんだ
目標
SNOOPY
ねえーん 両津《りょうつ》さーん 口紅 かってきて くださらない カネボウのね ……
男の わしが 口紅なんか かいに いけるかあ
そんな 耳元で どならないでよ 男の人って ヤバンなん だからぁ
自分は 車 一台 ぶちこわした くせに なに いいやがる!

それにしても この派出所は きたなすぎるわ! におうわよ…
男の汗と 体臭だ ここの職場は 男の世界 だからな
家具の配置も 悪いわ! レースのカーテンを したほうが いいわ 花だって かざらないと ………
新婚さんが 新居をかざる のと ちがうん だぞ!
机の上 もう少し 整理しなさい はずかしく ないの!
えっ!?
中川《なかがわ》さんは ロッカーの中 かたづけて!!
まさか こんなハメに なるとは 思わなかったよ
そこに まだ ゴミが おちてる わよ!
あなた 花 かって きてよ!
花だとっ 墓まいり にでも いくのか?
バカねえ! かざるんじゃ ないの! 本当に バカねっ なに考えて 生きてるのよ 壮絶な バカね!!
ぐぐっ… 上司を バカ バカ と……

これで ようやく人の住む部屋らしくなったわねえ！
すごい少女趣味だな まるで女の部屋だ
部長がみたらジンマシンをおこしますよ
まだ 変なにおいがするわよ
うん！中川さんのはコロンのかおりだけね…
グイ
な…なんだよスケベ！

犯人はこのふたり！ふたりの服がよごれているのよ!!
ちゃちゃんと洗濯にだしとるわ！
おおれだってたまにはあらっているぞ…
無礼なことをいうな！
いつクリーニングしたのよ！
この冬服はたしか4年前の春に署のクリーニングにだしたぞ
おおれもそのころにだした記憶がある
4年間も同じ服きてるの!?あなたたち
夏は夏服をきてたよちゃんと！
そう正確には3年間と少しょう…
ワイシャツなんかマメにとりかえてるよな～！1か月に1回はかならず洗濯する！
わしのほうが清潔だぞ3週間でとりかえる！パンツにいたっては5日はくかはかないかだぞ……
ふたりとも今すぐ服をぬぎなさい!!

そんな きたないもの きてると 病気に なるわよ! わたしが 今すぐ あらってあげる
きゃっ なにすんだ エッチ! チカン!
はっくしょん!
いったい どういう 生活してるの あのふたりは?
ちぇっ まったく よけいな ことを!
まったく だよ! 10日ぐらい きてから やっと 肌に なじんで きやすく なるのに
先輩たち みたいな人が 氷河期が きても 生きのこれる 人間なのだ ろうな
あの 秋本巡査に やられっぱなし じゃないか!
美人だと ゆるして やってりゃ 図にのりおって なんとか やっつけて やりたい!
そうだ! 秋本巡査の 机に カエルを いれといたら どうだ!
いける ついでに ヘビや ゴキブリも いれたら いいぞ!

へーくしょん！
そのまえにこっちのほうがカゼ ひいちまうよ！
なにかきるものをさがしてこよう！
今 ほしておいたわ 明日の朝にはかわくわよ
ありがとさんよ！ 秋本さん まあ 席にすわって！
ヨンリオ
タヌキツネ
祝 秋本巡査
あら〜〜〜 両《りょう》ちゃんのパジャマ姿 かっわいいじゃない
コテーン
両…ちゃん！
机の中に新任祝いのプレゼントがはいってるよ………
あら そう！

ガラッ
やった！
きゃあ すごい!!
このサイフ わたしに くれるの？
ちっとも こわがらない じゃないか！
ありゃあ わしの がまぐち だ……
おい！ そりゃ わしのだ！
あれ くれるって いったじゃ ないの？
うむ…… しかし… それには 全財産 が……
武士に 二言は ないんでしょ まさか ウソだ なんてね！
うぷっ

こんなヘビなどでおどろくと思ったら大マチガイよわかった!
は…はいです十分わかりました
あいつの女っぽいのは外見だけだちくしょう
プァーン
キキーッ
プァーン
ドャ
バタン
ドャ
なんだ?なにごとだっ!?
さあ……?
ライフル魔がビルの屋上にろう城しました!
ダッ
なに!?
きゃあ――っ

うちの派出所の近くでやりゃあがってちくしょう
長くかかりそうですね
さすがのスーパーレディーもおしとやかなものだ!
発砲許可がおりました!
よし!わが派出所にまかせろ!
…といっても中川は右手をケガしているのか…
すいません!
よしそれではこのわしがこの場のヒーローに!
ズギュー
うっ

てめえらっ全員ぶち殺すぞーっ!
うわあっ
よけいに犯人が逆上した!
みろ!おまえが中川をケガさせたからこんな大事になったんだ
バカあぶないうたれるぞ
わかったわよ!その銃かしなさいよ!
あっ

やめろ!
なめやがってこの女!
ジャキッ
ドギューン!
ぐわあっ
ああ!?

いいわすれたけれど わたしの一番 得意なのは 射撃よ これでもメダリストなの
おそろしい………
やっぱスーパーレディーだ
ん!?
きゃあーーっ!!
え!?
その犬どこかにつれていってよ 犬 大きらいなのよ! いやーん
やはりふつうの女の子だなあ
ひひひ そうかい… おい 犬 なかよく手をくもうぜ!

★週刊少年ジャンプ1978年41号

パトロール・デート!?の巻

世界のお巡りさん…その②
➡モデル両津巡査長
⬅モデル秋本麗子巡査
イスラエル(ISRAEL《イスラエル》)
戦火の国イスラエルは　男女を問わず皆兵制度である　そのためか婦人警官たちも　ミニスカートに似あわず勇ましく　男性顔まけの活躍である
ケニア(KENYA《ケニア》)
この国の警官は　このビッグな手ぶくろで町の交通整理をする　その手さばきの見事さは　通行人も立ちどまるほどである

たいへんだっ遅刻しちゃう!!
ぼっちゃま自家用機でお送りしますあれならば数分で……
今日は先輩をむかえにいくことになってるから車でいくよ
お車はこちらに用意してあります
ありがとう

ギャギャギャアアアアン
ガオオオオオオ
いってらっしゃいませっ！
ニコニコ寮
無断立入りを禁ず
ニコニコ寮
3-1
キッ

先輩 まだ おきてない ようだな!
ご用の方は お押し下さい 両津。
ゲオ!
さすがに パワーが ある これじゃ 死人でも 目が さめる
ビィイイイイイ
ぎゃあ!
窓から おりる気 ですか?
このほうが 早い!
バウウウーン

きのうは新しくきた麗子にひどい目にあったからな
そういえば戸塚《とつか》先輩も今日は休むといってました
まったくえらい女がきた…
パン屋ひらいてないかな…ゆうべからなにもたべてない
はらがへった!
秋の防犯運動強行実施中!
ギギ
そういえば冷蔵庫にドッグフードがあまってましたよ
そんなものくえるか!
朝もたべずにはたらかすんだからな!
バタ
おや?派出所の中からみそ汁のにおいがするぞ
まさか!

あっ
おはよう わりと 早いのね!
エロ本
よい本
持出禁止
なんの マネだ… こりゃあ?
両ちゃんの 朝食よ!
どうせ 朝食 たべて こなかったんでしょ だから 用意して まっていたのよ!
朝の当番の 時には 毎日 つくって あげる からね!
し… しかし!
先輩 これじゃ かの女の ペースに なってしまうじゃないですか
よ… よし!

おい かってなことするとゆるさんぞ!
両ちゃんのすきな納豆とアジのひらきもあるわよ
本当!? じゃあぼくいただこうかな!
なんですそれ…? ネチャネチャしてますね
納豆だ これの朝メシは最高よ!
納豆…… ようするに豆の くさったやつでしょう 腐蝕《ふしょく》して腐敗《ふはい》した たべ物……
うるせえなあ いちいち!
火の用心
おい麗子 ナスの古づけないか!
はい ありますよ!
今日の朝刊よ
うむ
麗子 茶がほしい… にがいやつ
だんだん所帯じみてきたな…

先輩!おちついてる場合じゃないですよ
まあまあ……朝の ひと時 人間らしくゆとりをもたんといかんぞ
バサッ
ほう……世間ではもめごとが多いのう…
おろかな人間よ…
まったく部長がくるっていうから朝早くむかえにいったのに!
そうだっ今日は部長がくるんだ
早く 部屋をかたづけて……………
あるみたいだな…
ははは かたづけてあるじゃないか!
麗子さんがやってくれたんですよ
外見は美女で中身は 完全な男だが けっこう女らしいとこものこっているじゃないか!

いつつつ… すぐ 行動にでやがる! わしより手が早いよ
パトロールにいったほうがいいんじゃないですか このところいってないし
そうだな 部長にしれたら大目玉だからな!
みかん
あら パトロール!? わたしもいっしょにいきたいわ!
なに! おまえが!
この顔見たらすぐ逃げよう
じょうだんじゃない女といっしょにパトロールできるか!

いいじゃないですか!
おふたりで仲よくいってくれば……
バカ
おまえまでそんなことを!
なにしてるのよ!
さあいきましょうよ
うわっ
たすけてくれ!
コォシー
オーガスト
ちょっとそんなに早く歩かないでよ
おまえがおそすぎるんだよ
それにごちゃごちゃしているしまい子になったらどうするの
わしはそう願いたいよ
はぐれないように腕をくんで歩くわ!
☆
ガバ
ジロ
ジロ

バッ
ゆっくり歩いてやるからはなれろ!
たまには歩くのも気分いいわねえ!
ちぇっ!
ところで麗子なあ……
え!?
その胸なんとかならんのか!
若い娘がはずかしいと思わんか!
なによ! ちゃんとした服じゃない! ただ 胸元が深いデザインになっているだけよ!
それがちゃんとした服か!! オッパイほうりだしてるじゃないか!
半分しまってあるじゃない! ほうりだすっていうのはこうして…
わ…わかっただすな!
おそろしい…近ごろの娘はなにをしでかすかわからん!

COFFEE
営業中
おい 麗子 ちょっと そこで コーヒーでも のんで いこうや
まあ! コーヒー のむ気 なの!?
かたいこと いうなよ ちょっとだけ
わたしなら コーヒーより レモンティーが いいわよ! あと チーズケーキ
まったく つきあい きれん 女だ!
両ちゃん ケーキ もう ひとつ たのんで いい…?
かってに しろっ!
こんな ところを 部長が みたら いったい どんな顔を するやら……

あら？どうかしたの？
え!?
この人だーれ？両ちゃんのしりあい？
ま…まあしりあいにゃちがいないが…
すまんなあ……せっかくのデートのとこじゃまして!!
い…いやあデートだなんてそんな!!
あなたもよかったらいっしょにこない？
バ…バカッこの！

寺井のかわりにきた麗子…いや秋本麗子巡査です!
ほう署からはきいていたが…
麗子! 部長だあいさつせんかっあいさつ
あらぁその方部長さんなの
麗子ですこれからもよろしくねえン!
じ…じつに開放的でおおらかな娘でしてねまいりますね
今のはおまえの教育か!?
めっそうもないっ!!
女につれられて仕事をさぼりよくもまあこんなとこに……
あらンちがうのよォ!
両ちゃんがこのお店にわたしをさそったのよ……
よけい悪いんだよバカ!!

ろくに働きもせんであそぶことばかり考えおって！
ひどいいい方ねえ！
両ちゃんだって朝も たべずに出勤してくるのよ両ちゃんなりにいっしょけんめいやってるのにかわいそうじゃないの！
し…しかし…
それにあそぶこと考えたっていいじゃないの毎日 働くことしか 考えてないなんてそのほうが変よそんないい方ないと思う
うっ
いいぞもっといえ！
部下をしかるのもいいけどもっと理解してよ一方的よ！
そうだそうだ！
圧勝
どうも変なのが 両津の味方に なってしまったな… 調子が くるってしまった！
ふんぎゃあ
今週の標語 ペンネームを早く覚えよう!!
おや？

なんで
派出所から
赤ちゃんの声が
するんだ?
おまえ まさか
……!
そんな
目で
にらまないで
ください
わたしゃ
しりませんよ
全然!!
なにごとか
おきると
すぐ わしを
思いだすん
だからなあ
やんなるよ!
どうしたんだ
中川
その赤ん坊
は!?
部長
あっ
あずかった
んですよ
この
赤ちゃん
!!
ぎゃあああ
いきなり
中年の男が
派出所に
あずけて
いってしまっ
たんです
ぎゃあぁ
ないて
いるぞ
中川!!
ここは
私に まかせて
ください
ここには
すべての本が
あります
ガッ

あった! これなら バッチリ
人コーナー
赤ちゃんコーナー
グッナイベイビー
赤ちゃんのそだて方
赤ちゃんの生み方
赤ちゃんの生ませ方
赤ちゃんの手作り
老人のそだて方
老人のXYZ
えーと 赤ちゃんが なきやまない 時には… 忍耐強く 事情聴取を…
ばかもの そんなこと できる かっ!
赤ちゃん
うわあ ますます ひどくなった
ギャあああ
よわったな こいつは!
圭《けい》ちゃん だき方が わるいのよ わたしに かしてみて
ああん…
ほうら よち よち!
やや! ピタリと なき やんだ!!
両津 あの娘も ちっとは 女らしいとこが あるもんだ はははは
あっ しい! しーっ
ガッ
ほら きた!

両ちゃん この赤ちゃん おなかが すいてるん じゃない!?
どう してだ…
ほら 指を しゃぶるもの オッパイが ほしいのよ きっと!
それなら 麗子の あげりゃあ いいじゃないか そんな でかいの もっているんだからな!
失礼ね! わたしのが でるわけ ないでしょ! ミルク ないの ここには!
酒しか おいてない からなあ ウイスキーを 水わりで のませたら どうだ?
両ちゃん 大急ぎで ミルクかって きて!
なにっ わしが ミルクを かいに!
サッ
いき ます! いき ます!
くそ! 犬のやつ どこに いったんだ? あいつが いりゃ こんなことに ならんのだ!
やはり おなかが すいていたんだ なあ
いよいよ秋本番 マンガは秋本治
それにしても よく のみやがる なあ!

あら!
ぎゃあああん
なんだよ またなきはじめたじゃないか!
どいて みろ わしがのませてみるっ
ああ…
ピタッ
あらっ なきやんだ
両ちゃんに一番なついているのよ きっと!
まさか!
ぎゃあああん
ほら いったら またなきはじめたわよォ
先輩 そのスタイルなかなか板についてますよ!
うるさい こっちは迷惑千万だっ!

いやあ どうも どうも 息子が すっかり お世話に なりまして…
いやあ お巡りさんに すっかり なついちまって！
パチンコ
無責任な やつだっ どこへ いって やがった！
おー よし よし！
なに？ 交番は すみよくて いい これからも きたい…？
かってに 通訳 するな！
どうぞ！ どうぞ！ これ 今 パチンコで とってきた ものです！
うけとって ください！
まったく いいかげんな 父親だ！
本当よっ 自分かって すぎるわ！

★週刊少年ジャンプ1978年42号

吹け！の巻
ジャンプ編

颪よ

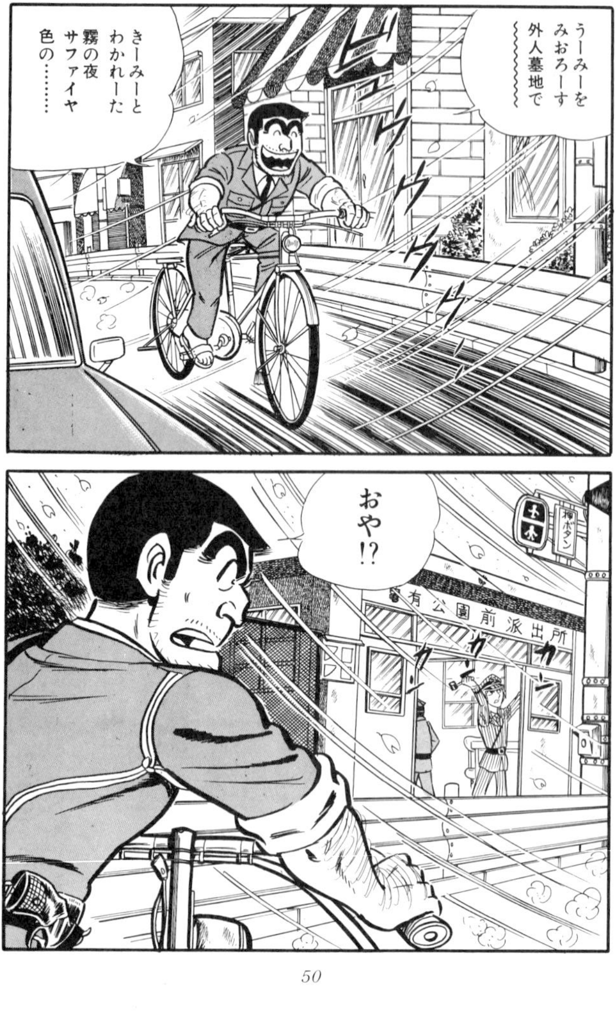
うーみーを
みおろーす
外人墓地で〜〜〜
きーみーと
わかれーた
霧の夜
サファイヤ
色の………
おや!?
押ボタン
有公園前派出所
カーン
カーン

なんのさわぎだいったい!?
のん気だなあ台風がくるんですよ
麗子はどうした?まだ出勤してこんのか!?
カーンカーン
ぼくのカウンタックで緊急用品などの買いだしにいってます
カンパン

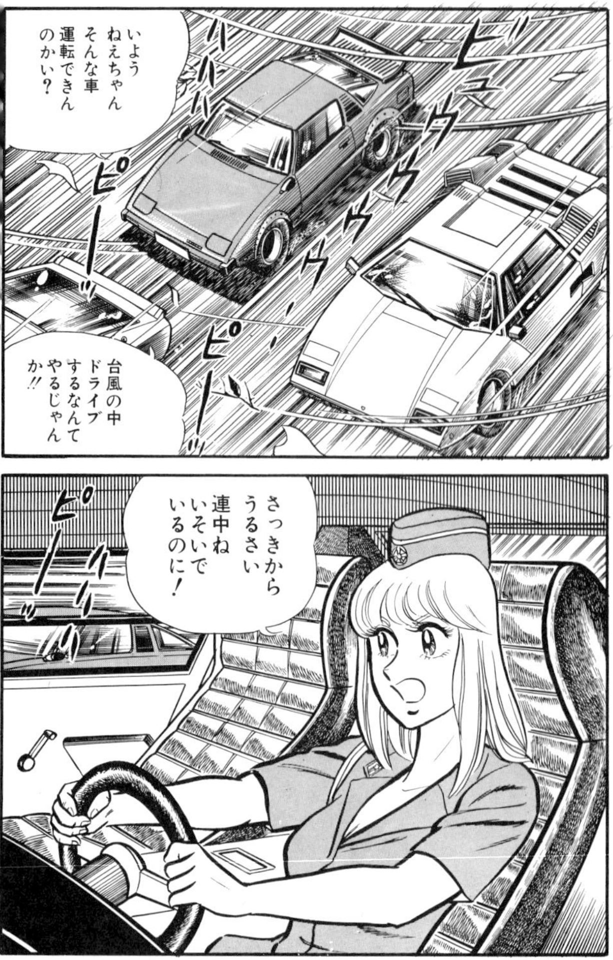
ハハハハ
いよう ねえちゃん そんな車 運転できんのかい?
ピーーッ!!
ピーーッ!!
台風の中ドライブするなんてやるじゃんか!!
さっきからうるさい連中ね いそいでいるのに!
ピーーッ!!

ほっといてちょうだいよっ
バカッ
ぎゃあ
な…なんと
すげえ
女だっ!!
あの女
一匹狼の
暴走族じゃ
ねえのかっ!?

ほら そこ! もっと ちゃんと うちつけろ! もっと 気合いを いれて 働かんと いかんぞ!
ちぇっ 自分は なにも しないん だからな!
ほお…自分は 見物か……… たいした ご身分じゃないか 両津…くん…
亀有公園前 派出所

だれがさぼれといったっバカモノ!
人が目をはなすとすぐさぼるやつだ!
けしからん
それでも巡査長かっ!
台風にそなえて万全をつくせといったろ!
バカッ
いたたっ
部長のふきだしとがってるよ
いうこともきかずに漫画なんかよんで!
アホッ
ガミガミ ガミガミ ガミガミ ガミガミ
話をそらすなバカモノッ
だいたいおまえというやつはだな頭のほうが……
いっぺんにしゃべらないで!コマがいっぱいになる!

ごめんなさいね
カーステレオの
スイッチと
アクセルを
まちがえて
しまったわ
どういう
乗り方
してんだ
くそ!
あっ
大きらいな
犬よっ!
あっち
いってよ
ぎゃあ
たすけて
きゃあーっ

やっと いったわ やあねえ 犬って 野蛮で 動物的で！
いっちちち どっちが 野蛮だ 台風より あいつのほうが おそろしい！
風が だんだん 強くなって きました
ヒュ
早く 窓を なおすんだ 風で みんな ふきとばされて しまうぞっ！

うわっ
グオオオオ
ひゃあ
きゃあ
部長！先輩が今の風でふきとばされました
ほっとけ それより書類をとばされんようにしろ!!

ちっくしょう
なんでわしだけとばされるんだ!
coffee
スワン

なにもかもふきとばされちまってるよ…ん☆
あのやろうとばされた貴重品をかっぱらっていやがる!

てめえーっ
火事場どろぼうみたいなマネしやがって
ガッ
ぐわっ
お巡りまでとんできた

ズザァーーッ
ぎゃっ
今度は雨だあ——っ

お〜〜〜〜い!!
中に いれて くれ〜〜〜っ!!
このはくじょう者っ! お〜い!
このままじゃ死んじまうよ!
あけてくれーっ!
ふうーっ たすかった あれ…… 人数がふえたじゃないか!
近所の人たちよ 家がとばされて避難してきたのよ!
今回は34コマしかないんですから ひとりで多く使わないでくださいよっ!

この中にはいっていた請求書や両津の始末書はどうした?
さっき風が 強い時に先輩がいっしょけんめい外へ とばしていたようでしたが……
うそだうそだわしはしらんぞ!

中川《なかがわ》の土手が決壊して自衛隊が応援に くるまで青年団ががんばっているそうよ!
よし! われわれも協力にむかうぞ!!

おおっ
自衛隊が
かけつけて
きたぞ！
バラバラバラ
ビュヴオッ

たすけてくれーっ
なんとたよりにならない連中だよ!
うわあっ土手の水がおしよせてくるっ!!
グオオオッ

部長ーっ！
こうなったら
テルテル坊主を
百体 つくって
神に いのり
ましょう
バカッ
おまえなど
ながされて
しまえ！
あ……
川から
ながれて
くるのは…!?
潜水艦が
川から
おしなが
されて
くるぞっ!!
それも
日本のじゃ
ないぞっ
外国の
潜水艦だっ!!
な
なん
だとっ!!

なんだって
艦長が 方向オンチで
訓練中に 東京湾《とうきょうわん》へ
きてしまったって!?
早く 本国へ
帰るんだっ
よりによって
こんなとこへ!
なにっ
外国の
原潜
だって!
ヒュ

うて──っ
自衛隊の
底力を
みせてやれっ
オー
スッカリ
ワヤヤ〜〜
アリガタイ
コッチャ〜
ネンネン
ぎゃあ
市街戦を
始めやがった!
ズギューーッ
ズガガガ
もう
わしゃ
しらんぞ
みんな
両津のせいだ

★週刊少年ジャンプ1978年43号

亀有ガンガン!?の巻
ハワイ産
みかん
MIKAN
持出禁止
消火器↓
説明書
ピストル

カチャ
どすこい！
ズギャッ
ズギャッ
カチャ
カチャ
むっ
なんのちょこざいな！
ガラッ
なにしてんだ両津？
むむっ

まだのこっていやがったか！
ガチッ
ぎゃん
火の用心!!
あっ
すまん
まちがえた
こいつ
引き金を
ひきやがって
タマが
のこってたら
死んでたぞ
なにやって
いるんだ!?
部屋の中で！
ちょっと
訓練を
な！
明日
射撃大会
だからな！
練習を
やっとる！
こんな
物を
相手に
役に
たつのか!?
GOOD-BYE
しかし
おれは
このところ
射撃訓練
さぼってる
からな…
手入れも
してないから
銃が　サビ
ついてきた！
心配するな
今　中川が
いい銃を
もってくる
えっ
銃を？

おっ きた きた！
どうも おそく なって！
いっぱい もって きたか!?
どうぞ 気にいったのを とってください 先輩！
日中友好
WALTHER
MERD IN GERMANY
そりゃあ もう えらぶのに 時間が かかり ましたよ
なんか 奇妙な 銃ばかり だな……
ええ みんな 競技用の 拳銃 ばかりです からね
どれが いいんだか わからん なあ……
そう ですねェ ぼくが 推せん すると したら…

ヘンメリー モデル107です 東京《とうきょう》オリンピックの大会で 1〜3位まで このモデルで 独占したのは あまりにも 有名な話ですよ
WINCHESTER T22
スイス製で モデル106の デラックス版で オクタゴン バレルに なってます
一丁 一丁 ハンドメイドで 命中精度は 最高です
だめだ 形が 気にくわん
みかん
じゃあ これは どうです ヘンメリー・ワルサー・オリンピア
ヘンメリー社と ドイツのワルサー社が 提携して完成した 競技用の 単発銃です これも 精度は バツグンですよ

わしには大きすぎる もっと いいのないのか？
かわった所でハイスタンダード社の電気銃なんてどうです？
感電するからいやだ！
これがいい 白くてきれいだな！
え？ジャイロジェットですか？
それは……拳銃といえるかどうかなにしろロケット弾ですからね
すごく軽くてもちやすい これにきめたぞ
EXPERIMENTAL
ON OFF
MARK I
Serial No.007
MBASSOCIATES
SAN RAMON CALI
気にいったのならいいけど…戸塚先輩はどの銃がいいですか？
え？おれもいいのか？
遠慮なくえらんでくださいどれでもいいですよ
そうかたすかるよ おれの銃使い物にならなくてな！
これなんかおもしろい 手にピッタリくるな
ホイットニーライトニングですか それも軽くて扱いやすいですよ

バシュ
ビ
このハナ見たら 110番
なにするんですか！あたったらどうすんです！
すごい！タマが火をふきながらとんでいったぞ！
だからさっき いったでしょう ロケット弾だからって！
いったいどんなしかけになっているんだ
4月4日
ほら タマのうしろに 穴があいてるでしょ ここから ガスが噴出されてとんでいくというわけです
なるほど ちゃんと4つ 穴があいてるわ
タマ自身がロケットだから水中でも発射できるというユニークな銃です
こりゃあおもしろい 気にいった
0・09秒の早わざ……☆
バス
ガン
中川！この銃は不良品だ ロッカーにタマがはじきとばされた
まったくいちいちうるさいなあ！

なん度もいうようにミニロケットだから徐じょに加速していくわけです つまり銃口からとびだす瞬間は0《ゼロ》にひとしいわけなんです
わかりやすくいってくれ
要するに拳銃は 初速が速いのにくらべてジャイロの場合は徐じょに速くなっていくのできわめて近距離には加速度が少なく威力がなく つまり中央雷管に 点火され 推進薬に伝火雷管周囲の小孔《しょうこう》から ガスを…
ガッ
やめたっ そんな複雑な銃いるか! めんどうくせえ!
やはり わしは長年 つきあっているニューナンブが一番いい!
禁酒
かってにしてくださいよ! まったく
それじゃ明日の大会にそなえて射撃の自主トレーニングだ公園にいってうってくる
あれ?
38S ca
NEW NANBUM60
MADE IN JAPAN
その38口径の弾丸 どうしたんですか? そんなにいっぱい!?
ああ これ…
夕べ 本署の装備課へいってかっぱらってきたんだよ 訓練には多量の弾丸を使用するのでな
おそろしい警察の品をまるで 自分の物のように使っている……

第九回 警察官拳銃射撃大会
入場料 S席2,500円 A席2,000円
警視庁警務部教養課
けん銃射撃場
自動車訓練所
中川巡査 60発全弾命中 最終予選パス
いいぞ 中川！
また お互い最終までのこったな
去年同様一発のミスもなく通過したのはぼくたちくらいだろう
ところが今年はもうひとり全弾命中者がいる
なんだって！

今年から出場したんだ特犯課のやつで銃は　スーパーブラックホークを愛用している
どんな男だ？いったい！
キリキリ
チャッ
今年はいけそうだね！
まあな
きみたちふたり以外の出場者は相手にならん！
全員イモッ！
チャッ
可能《かのう》刑事今回の有力候補だつまりぼくたちのライバル！
可能…うわさはきいたことある……

ほかの署の連中もがんばっているようだがしょせんわれわれとレベルがちがう
ああ
みんなイモ警官ばかりだからなあ
今日はそのイモのあつまり…
さしずめイモの煮っころがし大会ってとこだな
可能ーっ たいへんやで〜！
カラーン
コローン
新宿《しんじゅく》で連続ネコ殺しやで早くきてんか！
それに出場するコミックスもちがうでェ
なにっ！連続ネコ殺しだと
うぬっ桜田門《さくらだもん》がだまっちゃいねえぜ！
平松《ひらまつ》と武論尊《ぶろんそん》によろしくな！
伝えておくぜ！
ニヤッ
早くせんかい可能《かのう》！

可能刑事か 一度 対《たい》で 勝負して みたい男だ！
これで また 中川とおれの あらそいに なってしまった ようだな
今年の 優勝者は ハワイ8日間 マイプランの旅 だといってた
毎年 企画が だんだん 大衆的に なってくるな！
まあいい タダで アメリカ旅行も わるくない ハワイは 美人も 多いしな！
射撃会場
おいおい 軽くいうなよ みんな 国民の 税金なんだ からな！
60発全弾 命中！
なに？
栗無徒《くりんと》刑事 最終予選パス これより 決勝を おこないます
予選通過者は 全員 あつまって ください！
千葉《ちば》県警の やつだ！ あいつも 初出場だ！
先輩は どうしたんです ミスショット したんですか？
それが 2発も！
おしいなっ ベスト3《スリー》に はいれるとこ だったのに！

いやあ はずれたん じゃなくて 2発しか あたら なかったんだ
どうしたんですか 先輩ともあろう 人が! われわれ シューティング クラブのリーダー でしょう
体の調子が 悪かったのかな でも ブービー賞は とれるかも しれんよ!
次は ラピッドファイヤー《早うち》を おこないます マンターゲットが どの場所から でるか わかりません
でてる時間は 2秒間…… 全部で5つ 計10秒間で うちつくす わけです
早うちなら おれの 最も 得意とする ところだぜ
これで 優勝が きまる わけか
中川 勝てよ 今年も勝てば 2連勝だぞ!
はい はい がんばり ます!
一番手 千葉県警 栗無徒刑事
ズイッ
ガタッ

すごい 全部 2発ずつ ど真中に 命中させて いるぞ!
ほう なかなか しゃれた マネを するじゃ ないか
マンターゲット 各2発ずつ 計10発 全弾 命中! ミスなし
すごいぞ
二番手 冬本《ふゆもと》巡査
じゃ 先に いって くるぜ!

みんな
すごいな
心配に
なって
きたよ！
じゃあ
ちょっと
こい
特訓を
やってやる
いいか
わしがこのカンを
なげつける
3発ずつ
あてるんだ
赤だし
みそしる
それっ
いいぞ
その調子だ
これなら
優勝だ！
わははは
いたっ
あっ
すまん！
だいじょうぶかっ！
中川
いっつ
つつ……！

今度もすごいぞ心臓と頭に3発もうちこんでる
今年はえらい大会になったな！
むっ
くそう！1発しくじった
マンターゲット各3発ずつ計15発13発命中2発ミス！
のこるは中川だけか……
ん？おや……

どうしたんだ 中川! ケガをしたのか!?
裏で 特訓をしていて カンで手を切ってしまった
こりゃ 銃は にぎらん ほうがいいぞ 大事をとって 棄権《きけん》しろ!
しかし 署の みんなが なんと いうか…
よし かわりに わしが でてやる
えーっ
無理だ むこうさんは 3発ずつ全弾 ぶちこんで いるんだぜ
それ以上 ぶちこめば いいんだろ まかせとけ!
ガサ
たしかフル オートの 銃をもって きたな!
本気 ですか?
中川巡査 いませんか!? 早くでないと 失格に なりますよ
ガヤ
ガヤ
ちょっと 裏で 練習しててね さあ やろうか!?
あれ? ずいぶん 背がちぢんだ ようだけど?
いやあ おまたせ おまたせ

気のせいだよ
さあ! 早いところやってくれ こちとらいそいでるんだ!
はいはい それじゃいきます
カタ!
ズガガガガガガ
ケルッ
ドガガガガガガ
ズダダダダダダ
ガシャ
すげえまるで機関銃のようだ!
ターゲットがあとかたもないぞ!

★週刊少年ジャンプ1978年17号

ミュージック
ライフ！の巻
取扱説明書
PX-1
YAMAHA
YAMAHA
PLAYER PX-1
FM-AM
STEREO TUNER
Technics
TUNER
STEREO
AMPLIFIER
SONY
TA-E88/TAN88
3 MOTOR HEADSYSTEM
750
GXC-750D
AKAI
CASSETTE DE
AKAI

あっ 先輩
おはよう
ございます
なんだ
こりゃあ?
この中で
コンサートでも
始める気か!
いや 職場に
歌を…と
思いましてね
音楽を楽しみ
ましょうよ
いいでしょ
先輩?
そうか
まあ
すきなように
しろ!
こっちは
大勝利だ!
みろ これで
2 3か月
くうに
こまらん
はははは
署内の連中に
3割引きで
おろして
全部で
約3万……
これで
当分は
あそんで
くらせるぞ
がっはははは
中川
うるさいぞ
とめろっ
ん
るから
めろと
てるん
なん
ですって?

から
ぶっとば
きこ ま せんよ
ちょっと小さくしますから!
ピタ
ATTENUAT
うるせえからとめろっていってんだってめえ!
ビリ
ビリ
ビリ
てめえのほうがよっぽどうるせえぞ
いてっ
と とにかくもう少ししずかにきけ!
ステレオはある程度音をださないと迫力がないですよ!
それなら浪曲とか讃美歌とかしずかな物をじっくりききゃあいいだろ!
浪曲だって大きい音できけばうるさいじゃないですか
そんなことはない日本的なのは心がおちついていい!
3月21日

よし！本当かどうかやってみようじゃないですか！
おい！おちつけ中川！
せっかくの商品がバラバラになっちまったじゃねえかくそ！
旅《たび》ゆけば駿《する》河《が》の国《くに》に
どうです十分うるさいでしょう
そりゃ石《いし》松《まつ》さんちがう
お茶のかおりと男い
ちょうどいいじゃないか！心がおちついてくる！
ここまでくるとさすがにうるさく思えるでしょう？
なんのなんのやっと音がきこえてくる程度だな
それならもっとボリュームをあげてやる！

その時《とき》
どうせ やるなら 最後まで やるべきで ないかな
石《いし》松《まつ》の手《て》が
刀《かたな》にかかった
う〜〜む この臨場感《りんじょうかん》 なんともいえん シュール リアリズムの 極致だ！
こんな所に いたら 気がくるう にげだそう
まったく
まあ まあ ゆっくりして いきなさい
この顔 見たら 110番

三番《ばん》は次《じ》郎《ろ》長《ちょう》
ペン
いいサウンドは体で味わったほうがいいんだぞ
だいじょうぶかっ中川!
ペン
かんじんなのを
清《し》水《みず》の大《おお》政《まさ》だ
たっ!?
ペン
を!
イョッ
そうだ!
?
スシくいねえ
酒《さけ》のみねえ
まったく狂気のさたとしか思えん!
キキィーッ
限度をしらないからなあ!
1人《ひとり》いた!
早く外へにげましょう
ペイーン

ピタッ
やっとレコードがとまったらしいな…
まったく よくこんな中で仕事ができるよ
まったくいいかげんにしろよ!
両津のうすらばか
ダイナミックレンジばか
クロームポジションばか!
このタワシ頭!
?
ん!?

両津のやつ耳にせんをしてやがるぞ！
それできこえなかったんだなようし！
やあじつにいい曲だったね
そうか！
スポッ
ダイナミックサウンドをきかせてやるよ！
STRONG YAMAHA
ガバッ
な…なんだ？
中川スイッチオン！
OK《オーケー》！
YAMAHA
POWER
ON
OFF
ぐわあああ！
YAMAHA
ふんにゃぎらびんば！
へちゃめんころぴあ

よし！そのへんでいいだろきれ！
はい
どうだ？さっきの苦しさが少しはわかったか
く……くそ……！
こんな物でまいると思ったら大まちがいだ！中川スイッチオン！
POWER
ON
OFF
パチッ
ぎゃんびらだっちょ
ずびんばらべちょへっちゃら！
よしスイッチをきれ!!
どうだ？さからうとそういう目にあうんだぞ

このやろう いいかげんに しないと ぶっとばすぞっ！
じゃんばら ちゃっちゃ くちゃら びびんば！
ひごろ いばってる バチだ
まるで 孫悟空《そんごくう》 だな……
おまえら しかえし してやるからな！ みてろっ
いったい どこへ いく気 でしょうね
なーに 気にしない 気にしない
ヘッドホーンを はずさないと 派出所ごと ぶっとばしてやるからな！
わ わかった と…とるよ！ はやまるな！
うわっ バズーカを もってきた！

ふう ようやく 楽になった ちくしょう
しかし これで すんだと 思ったら 大まちがい だぞ！
グイ
ひゃっ
やられっぱなしで いない からな！
反逆の おそろしさ を 思い しらせて やる！
最高級品取扱店
AUDIO・SHOP・
TRIO
Bolivar
JBL 入荷！ L45 B L36
YAMAHA
SONY
DIATONE
TECNICS
山水
TEAC
AKAI
営業中
スピーカーを 公園前 派出所まで はこんで くれ！
えっ？ スピーカー ですか？
小林氏アメリカへ!!
いいから ありったけ はこぶんだ 早くしろ！
はい はい！

先輩
何をする
気かな?
なーに
ほんの
おどかしに
きまって
いるよ!
あいつ
ひとりじゃ
たいした事
できんよっ
窓の外に
変な物が
はこばれて
ますよ
え!?
あっ
派出所の
まわりが
スピーカーに
かこまれて
ます!
なに!?
防犯強化運動中です
両津の
しわざだ
外へ
にげろ!
ドドアが
あきま
せん!
くっく
くくく…

おろかな人間どもよ………
今神様が天罰をおあたえになられるゾ
一曲目はベートーベン〝運命〟から
スイッチオン！
カチ
ジャジャジャジャーン
みたか！超音響ドルビーサウンドシステム！
ジャンジャンジャ
つづいて二曲目ピンク・レディー〝サウスポー〟

スーパースターのおでまし
背番号《せばんごう》1のすっごい奴《やつ》が相手《あいて》ファミリゴ
もう そろそろ いいかな?
どれ どれ
ほう さすがに まいった ようだな
キ〜〜〜ン
どうだ こいつ なんとか いってみろ!
キィ〜
た… たすけて くれ〜〜
おい 中川 迫力 サウンド どうだった?
グイ

わしのおそろしさがわかったな！
ほうマイクもあるのか…
あーあ ただ今勤務中なり早く帰りたいあーあー
派出所前 交番
そうだ！このスピーカーを そこにとりつけよう
これなら注意してにげられる事はない！
む！あの車スピードでてるな
ちょうどいい実験してみよう！

こら!その車《くるま》スピードが出《で》すぎてるぞ
おい!
な なんだいったい!
なんだじゃない! ちょっとこい!
ぐずぐずしないでさっさとくるんだ!
わ わかったよ——!
まったく じょうだんじゃないよ
ダッ
ほら みろ さすがに効果があるじゃないか!

免《めん》許《きょ》証《しょう》を見《み》せなさい！
いちいちスピーカーをとおさないときけないんですかっ！
さっさとみせるんだ
ちょっとかせ！
パッ
あっ
そんなに見《み》たいのなら見《み》せてやるさあ見《み》ろ！
どうだ
すい
何《なん》とかいってみろ国《こっ》家《か》公《こう》務《む》員《いん》
く…くそう
どうした！早《はや》く見《み》ろ
すい
ちょうしにのりやがって

うるせえぞ！
しずかにしろっ!!
あーっ気絶してしまった
機械が人間さまにかてると思うのかばかめ！
キ〜ン
キ〜〜ン
ちょっとやりすぎですよ一般市民を……
なにっ!?
警官をぶじょくするやつが悪いんだぞ！
だからといって気絶させる事はないでしょう
先輩のいう事がきけんのかっ！
おい！いいかげんにしろくずれるぞ

うるせえ元はといえばおまえが悪いんだ
なんだとてめえが先じゃねえかよっ
そうだ！先輩のほうが悪い
だまれっこの…ん☆
なんの音だ？
あ〜〜〜〜っショックでヘリコプターがおちてきた！
わ わしはしらんぞ
パスね！

★週刊少年ジャンプ1978年16号

安全バンド
再び！の巻

誠実警察官！
みよりのない　おばあさんを
毎日　訪問！　話しあい手に！
フロントページ
「あのお巡りさんは神様だ」と おばあさん！
……たいした事では、ありませんと青年警察官！
松田巡査(21)
ほほおん〜〜〜
わが警察官の地味な活動がこうしてみとめられるのはうれしいものだ
さすがにこのような青年警察官は顔つきがちがうな！目が生きておる
それに ひきかえうちの あいつは……
完全に目が死んでおる！
まったくつめのアカでもせんじてのませてやりたい
パパそろそろきがえてでかけないとおくれるわよ
この新聞をコピーしておいてくれんか！
え…？
その記事をうちの派出所の連中にみせてやらんといかん！

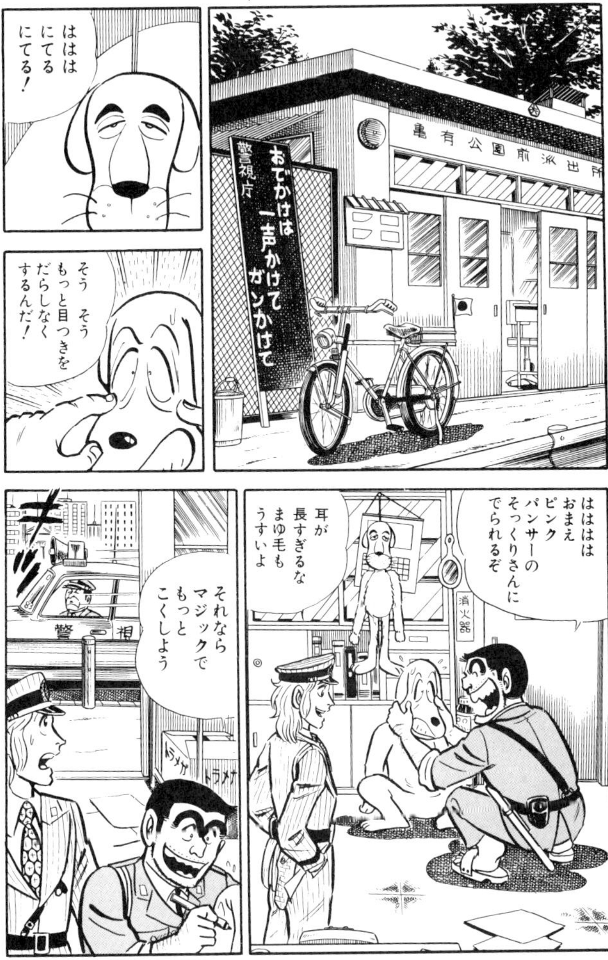
亀有公園前派出所
警視庁
おでかけは 一声かけて ガンかけて
ははは にてる にてる!
そう そう もっと目つきを だらしなく するんだ!
はははは おまえ ピンク パンサーの そっくりさんに でられるぞ
耳が 長すぎるな まゆ毛も うすいよ
消火器
それなら マジックで もっと こくしよう
トラメガ

おい
うごくな
こらっ！
まゆ毛が
まがって
しまうぞ
キャン
やはり
ピンクパンサー
と　いうくらい
だから
ぜひ　体中を
ピンクに
ぬりかえ
ないとな…
よし！
おまえ
桃色の
ペンキを
ちょっと
もってこい
なにしてんだ
早く もって
こないか
………
あっ
ぶ　部長
いらして…
いたんですか
いつもながら
中年男性の
しぶさが
そのお顔に…
おまえも
中年独身の
いやらしさと
不潔さが
その顔に
でておる
ははは
さえた
ジョークを…
仕事中に
犬を相手に
あそんでる
とは
なにごと
だっ!!
いや…その…
変装術を
おしえてたん
ですよ！
りっぱな
警察犬に
なるための…

犬と同じくらいの頭の人間が犬におしえてりっぱな警察犬になるはずはないだろ！
くく……気にしていることをはっきりといいやがった…
ところでおまえらふたりで今日 会場の警備にいってくれ
コンサートの警備ですかすると……アイドルのコンサート？
いや今回はロックバンドのコンサートだ
六区《ロック》バンド？なんだ そりゃ浅草《あさくさ》のほうの漫才団か？
すると昔 学校の保健委員だった人がいるという甲斐《かい》バンドですか？
いや！チャーリー小林《こばやし》と安全《あんぜん》バンドだ!!
きいたことないなあ…モグリじゃないのか？
ほらひな祭りに一度あったことあるでしょうあれですよ！
部長！あの連中のコンサートでしたら別に 警備なんかつけるほど 客がこないでしょう!?
せいぜい近所のお年よりや遊びにいく所がない小学生が 数人いく程度ですよ

持出禁止
ばかなこと いっちゃいかん 今や 女の子の間で 大人気だ！ 毎回 ケガ人や 失神者がでて 大さわぎ なのだぞ
だからこそ 警備が 必要なのだ おまえたちも 気をつけろよ
へえー そんなに ケガ人が…… よほど 会場が 古くて 床が こわれていたり 階段が急で…
とにかく エキサイトして くると ドラムを ほうりなげ つれてきた猿の 頭をブチわって 脳ミソを かきだす という ウワサだ
おそろしい バンド ですね
すると 人体ノコギリ ギロチン ショー なんてのも やります かね…
そこまでは わからん
そりゃ たのしみだ！ 中川 早く 亀有《かめあり》公《こう》会《かい》堂《どう》へ いって いい席 とろうぜ！
今回は 亀有公会堂で なくて 亀有演芸ホールで やることに なっておる
へ!? なんで また ロックバンドが 演芸ホールで やるんですか？ バンドのメンバーが かくし芸でも やるんですかね ……？
とにかく そっちで やるらしい まちがえん ようにな！

おい！開場は6時だぞ……
早目にいってかざりつけ手伝ってきますよ いってきまーす
まるで遠足にでもいくつもりだ あの連中……
今日ゲストで春日八郎《かすがはちろう》でんかな？ わし 大ファンなんだ…
コーヒー HIROMI
HIROMI
でやしませんよォ……
ぜひ八《はっ》っちゃんとチャーリー小林といっしょに〝ポテトチップスをほうばって〟をうたってもらいたい！
そして淡谷《あわや》のり子《こ》も友情出演ででてもらおうもりあがるぞ〜〜〜〜
そしてわしの大すきなアブドーラ・ザ・ブッチャーや貴乃花《たかのはな》もでてきて最後に 全員でバトルロイヤルをやるんだ…すばらしい！
あっ

あそこで 事故おこしてるの安全バンドの車じゃないかな…………!?
なに!?
おい! バカ!! おまえ どこに目玉くっつけてるんだ!
ま…まゆ毛の下でーす
おまえなァ〜 移動のたびに毎回 車をぶつけるじゃないか! なに考えて生きてんだ!
コンサート後の打ちあげパーティーのことでーす
全国一億人のアイドルスターのわれわれにもしものことがあったらどうする気だん〜〜〜!
すぐ保険金をおろしにいきまーす
まあまあまちがいはだれにでもある!
あっ!!
おいメンバーのストロング佐々木《ささき》! エキサイト柳田《やなぎだ》! グロテスク大塚《おおつか》!
この警官に近づくなこの男はマスコミのおちこぼれだ
チャリー小林&安全バンド

まえに
一度話した
ことが
あるが
あの警官の
芸能知識は
まったく
0《ゼロ》だ
ぜったい話が
あわないから
近づくな!
本当かよ!?
まあ
チャーリーくん
そんなに
きらうなよ
これから
コンサート
会場に いく
ところだろう
わしらも
警備に
いくところだ
えっ!?
ぼくらの
警備!?
この
連中が!?
亀有演芸ホール
まで いっしょに
のっけてって
くれ
さあ 出発!
演芸ホールで
やるんだったっ
け……?
さあ…
マネージャーが
まだ きてない
からな…?
おい
おまえら
早く
のらんか
おいてく
ぞっ!
は…
はい!
なんで
おれたちが
あいつの
いうことを
きくんだ?
まるで
マネージャーの
つもりだよ
あの人……

亀有演芸ホール
ご家族そろって 楽しめる 爆笑亀有
亀有演芸ホール
お笑い
入替なし
大人 1300 小人 30
夜の部 まんざい コズミック ララバイ 独演会
笑福亭 甲斐太郎 (新人)
敬老週間に付 65才以上の方は 割引料金 千円
本当に ここで やるのかよ… ムードが ちがうんじゃ ないのか?
そこが ナウで いいんじゃ ないですか
関西若手 どつき漫才 青空 英男 青空 和弘 コント ロイド大森
笑
リハーサルを ちょっと のぞいて みませんか?
ほう こんなに レコードが 出てるのか どれ 1枚くらい もらって…
L.P.シングル 即売中 (ポスター付)
アルバム カセット お買い上げの 方に色紙を さしあげて おります
マイ・グラジュエーション 安全バンド MY GRADUATION
先輩 そんなこと しないで! 早くなかに はいって みましょう
安全バンド
ANZEN BAND
安全バンド ニューシング

どうせ子どもだましにきまっとるよ!
カッ
いてっ
な　なんだ!?
もう少し右によせて右に!
なんとバカでかいスピーカーだな!
ははは先日埼玉《さいたま》市民《しみん》公会堂《こうかいどう》でのコンサートは天井にヒビがはいりましたよ
エキサイティングなステージでは安全バンドの右にでる者はいません!
そこでスーパースターのリハーサルをゆっくりみてください
がんばれよー!
通してリハーサルいきます!!

パ
あっ 電気がきえた!
いったいなにがはじまるんだ?
さあ?
ぎゃあああ
イスの下に電流が流れるようにしてあるんですよ先輩!
く…くそう～～～
これじゃ失神するのもでてくるわけだよ!
おや……!?
あっみてください!
あっ

安全バンドサーカス&サーカス
会場の中にヘリがはいってきました!
わはははは
今天のかなたからファンの目の前にロックシンガーチャーリー小林がまいおりていく!
ものどもっ ひかえ〜〜い ひかえ〜い
すさまじいオープニングだな……
なんてやつだ! 人間とは思えない!

一ぽう　亀有演芸ホールでは…

一曲 おわるごとに イスに 電気が 流れるからな まだ 体中が しびれてるよ
亀有演芸ホール
ご家族そろって 楽しめる
爆笑亀有ホール
開場の時に また きましょう 派出所へ もどりましょう
——そして 派出所——
おまえら 安全バンドの みんなは どうした!?
あいつらは 今 会場で 練習を…
会場が ちがうんだ 公会堂の ほうだ!
えーーっ しかし 移動すると いっても あれだけの 機材を いっぺんに はこびだす なんて…!
やるんだ! ファンが いかってるん だぞ!
中川! ただちに 行動しろ 両津は わしと いっしょに 会場の 警備だ!
ややこしく なって きたぞ
——そのころ 演芸ホールでは…——
開演 30秒前 だぜ!
チャーリー小林 控室
おちつき たまえ! はしたない
キィ! キィ!

今や
ロックバンドの
代名詞とも
なった
"チャーリー小林
と安全バンド"
だよ!
大スター
らしく
華麗に
行動したまえ
日本のロック界は
われわれで
ささえて
いるのだよ
多少
じらすのも
演出だよ!
クツを
もて!
ははっ
わははははははは
天より
まいおりる
スーパーロック
シンガー
その名も…
チャーリー
こ…
こば………
やし…
と………
安全バンドサーカス&サーカス
非常口
そこの あんちゃん
そうじのじゃまだ
あそんでねえで
でてってくんろ!

しょせん芸能界なんてこんなものだ！きのうのスーパースターが一夜 明ければただの一般市民だ
く・く・く…
チャーリーおちつけおちつけ！
ぼくなんか博多《はかた》でダボシャツきてとうもろこしうってたほうがおにあいなんだ！
これはなにかのまちがいだ！
ほっといてくれ どうせ ぼくらの末路はコミックバンドなのさ！
ディレクターのあんただってぼくたちがパンツマンと遊園地をまわったほうが 金になると思っているにきまっている！ そうだ そうだ
バカなこというな！
だからマネージャーまでにげたんだ！ うっうう
失礼します！
バタ
会場がここと ちがうんです 大至急 移動してください ファンの女の子たちがまちきれず大さわぎです
なんだって 別の会場！
ファンが暴動おこしてます！ 早く！
やはりそうだったのか！ そうかそうか！
よろしい 主役の私がいってしずめてあげよう はははは

亀有公会堂
チャーリー小林と
安全バンドコンサート
おい なんとかしろ 両津!!
わたしに なにしろっ てんですか? こんな状態で!
あと15分で 連中がくる それまで 落語か 日本舞踊でも やって 間を つなげ!
そんな むちゃな!
むちゃも お茶もない いけ!
あっ
きゃあ でたーっ チャーリー よォ!
きゃあ チャー リーッ!
がんばって!
チャー リーー

ち…ちがうんだ かんちがいするな!
わしはチャーリーじゃない 両津だ!
しずまらんとうつぞっ
チャーリー
チャーリー
きゃあ 今日のオープニング拳銃よ!
その警官スタイルもかっこいいわよ がんばってーっ
くそ! よけいにもりあがってしまった
し しかたない! それじゃ一曲だけね
「ラバウル小唄《こうた》」を!
きっとソロアルバムからよ!
さ～らば ラバウルよ～ また来るま～で～さ～
な… なによこれ?
そういえばアレンジがちがうわね がんばってー
アンコールよ チャーリーッ

な…なに?
もう一度うたってほしい…だって?
そうか わしの歌がそんなに気にいったか
それなら二曲目は「満州行進曲《まんしゅうこうしんきょく》」
いそげ! チャーリー!!
すごいなァ パトカーで先導されていくなんて………
当然だね われわれはヤングのアイドルなんだよ!
キキッ
おい! わたしのまわりをガードしろ!
はっ
そうそう 熱狂的なファンにもみくちゃにされてしまうからね!
スターはつらいつらい!

★週刊少年ジャンプ1978年27号

奪還!の巻

近ごろ兇悪な犯罪が多くみられるようになった
ひとり ひとりが警官であることを自覚してもらいたい
すばやい状況判断と冷静な対処を私は……
こらっ両津！ちゃんと話をきいてるか
!?
ははい はい！
きいてます！ものごとに対処して…ですね！
消火器
つづけましょう部長！対処して…それからどうなりました？
うぬ…くそ！
あいつめ！ふだんは鈍感なくせにこういうことになると 機敏に反応を示すからな！
とにかく自覚して行動することだ！わかったな
いやあ部長さすがにいいことおっしゃる！
消火器
中川！両津をつれてパトロールだいってこい
はい

ん？どうしたんですか先輩…？
最近気になるんだよな……部長のことばが…………
わしがおまえをつれてパトロールならわかるが……
なぜ ヒラの中川に巡査長のわしを つれてパトロールにいけというんだ
両津をつれてなんて……まるで人を犬みたいないい方をしやがってくそ！
考えすぎですよ先輩！
しかしつくづく思うにおまえは警官らしくないなあ…
え!?
スタイルは別にかまわんが格闘技が弱い！柔道など わしにすぐまける！
先輩はすぐ寝技にもちこんで首を しめるから かつんですよ！
しかし射撃だけはすごい！あれだけはわしもかなわんとりえといったらそのくらいで…
ちぇっ
あっお巡りさんだかっこいい！
うわあ あの44マグナム本物だぞ

ねえ 徳《とく》ちゃん お巡りさんって 強そうで たのもしいね
そう かなあ
ロングレックス
ピストル もってりゃ だれだって 強いんじゃ ない……
！
………
………
中川！ 今日は 土曜日で 郵便局は お昼まで だったな
え… はい！
大変だ 金おろして こないと 明日の馬券が かえん！
先輩 郵便局に 貯金してたん ですか？
銀行よりも 郵便貯金の ほうが 年利率が いいからな
顔に 似あわず やることが こまかいな
亀有野郵便局〒
POST

まにあったすべりこみだな!
切手
ガン☆
いてっ
てめえーっ すいません くらい いったら どうだ!
まったく
あっ
い 今 にげた 男が……
中川! その男 強盗だ つかまえろっ!
お巡りめ もう きやがったか!
セメント
チャッ
先輩 ふせて !!

くたばれ!!
ちくしょう やるならやってやろうじゃねえか!!
あぶない 頭をださないで!!
犯人は銃身を切りつめた散弾銃をもってます もろにくらったら体が穴だらけですよ!
このままじゃ犯人がにげるぞ
散弾銃の欠点は近距離でしか効果がないという点です
ここはぼくにまかせてください!

お巡りさん
あの男に現金を
とられて…!
心配いらん
中川の腕なら
百発百中
つかまったも
同じだ!
あっ
うっ
は…
はずれ
た!?
ちく
しょう
!
COFFE
しまった
喫茶店に
にげこんだ
ぞ!

COFFEE HOUSE West
West
人質の女性をとって 犯人はたてこもってる模様です
依然として要求はなにもいってきては……
裕美《ひろみ》ーっ裕美をかえしてくれーっ
あぶないからさがっていてください
くそうやかましいポリ公どもだ!
チャカッ
しずかにしねえと娘をたたっ殺すぞ!!

わっ
部長!
なんだ中川!?
ぼくが娘さんをすくいにいきます
こうなったのもぼくの責任です
いや 部長 部下のことは上司である私の責任です ここは私が!
そうか じゃあ おまえ いってこい
い いや よく考えるに ここは部下の意見を尊重し この場は中川くんにゆずろうかと かように…
女性を人質にしてたてこもる犯人を許せません
そこだけ同意見! 犯人を許せません
わしもおまえを許せん!
中川 この場は感情論をいってる時じゃない 人の命がかかってる そこを十分わかってるか!

はい! わかっている つもりです
…… …… よし!
部長! 中川に きまってから 突然 私も やる気がでて まいりました なにか 私にも 役だつことは
!?
そうか…
それじゃ 犯人のタマよけに なってもらおう おまえが うたれてる間に 中川が しのびこむ
今 また やる気 うせま した!
ちょ ちょっと まった 部長ーっ
人殺し〜
COFFEE HOUS
Wes
むっ 明りとりの 窓から 中が みえるぞ
この距離なら 犯人の腕を うつのは 目を つぶって でも できる!

よし!
よし いいぞ やれ!
がんばれ!
行け!
ゴキ
少しは しずかに してろ!
近づき すぎてる……

FFEE HOUS
West
なんでうたないんだ
まさか素手でつかまえる気じゃ……
…………
むっ
犯人がいない!
奥にはいってったのか……
われ物注意

今がチャンスだ！
とんで火にいる夏の虫たあこのことだ！
警官の人質は使い道がある
うっ
なんだと中川が犯人につかまった!?

ヤモメ
トマト
ジュース
拳銃までプレゼントとはありがたいぜひ弱な騎士《ナイト》さんよ
散弾銃のタマが残り少なくなっていたところだ
だいじょうぶか?ケガはしてないか…
はい!
だいじょうぶです!
話しかけんじゃねえ!おとなしくしてねえとうつぞ!
きみにはその拳銃は使えないなそれは特別製だ
シルバー仕あげになっているだろう?
安全装置をとかないかぎりタマはでないよ!
なに!?ハッタリにきまってる!

拳銃の右側についてるみてみろ…
チラッ
バッ
ちくしょうだましやがったな!
こうなったら女もまきぞえにしてやる!
きゃあ
やめろうつな!!

中から銃声がしたぞ!
中川!
きさま〜〜っ
!!
グッ
ガーン
いてっ
ガッガッ
いててて!
ガシャーン
うっ!
うわああーっ

でえいっ
わああーっ

West
West
ズバーン
な……なんだ？
ん……☆
!?
部長 今だ！
よし いけっ
ダッ
観念しろ こいつ！
じたばた するな！
ん？
ポカーン
ばかやろう てめえら なに やってんだ こいつが 犯人だ！ 早く こんか！

★週刊少年ジャンプ1978年28号

適材適署!?の巻

身長五尺《しゃく》五寸《すん》 体重十九貫《かん》
中川 男は カッコじゃねえぞ! 中身できまるんだ!
身長179cm《センチメートル》 体重63kg《キログラム》
はい! 体重十九貫《かん》には 勝てそうもありません!

辞令 亀有公園前 派出所勤務 両津巡査長
右の者 本日より 東京都《とうきょうと》 山奥村《やまおくむら》 字山越大字山《あざやまごえおおあざやま》の果《は》て 島流《しまなが》し警察署 勤務を命ず 警視総監…
以上 これが 辞令と むこうの署 あての手紙!
バサッ
そして これが うちの総務課 から センベツ わしから タオルと 石けん 歯ブラシ
ドドスン
おまえとも 長い つきあいだったが まあ 体を大事にして 山奥村で りっぱな駐在さんになって 人生をエンジョイしてこい 元気でな!
ぶ 部長 ちょっと まって くださいよ
いきなり 転勤で ほかの署へ いけっ たって 荷物も あるし… そんな!
あとで まとめて 送ってやる 心配するな 両津クン
部長! なにかの まちがいじゃ ないですか 急すぎ ますよ!

本庁から けさ とどいたんだ ちゃんと署長も 確認しとる まちがいは ない！
しかし…… 今日ついて 今日から なんて…… いくら なんでも…
両津 たまには 手紙を だせよな！
うるせえ 人ごとだと 思いやがって！
部長！ こんなことが あって いいの ですか!? 紙きれ一枚で ほかに うつす なんて！
現実に あるんだから しかたないな
辞令 君は やっかい だから他へ
私は警視総監に うったえたい！ ぜひ 総監と サシで話をし 私の立場を わかってもらい たい！
おまえは 警視庁の 問題児だからな まず 無理だな
寺井！ 両津を駅まで 送っていってやれ 島流し署でも 首を長くして まっている だろうからな
部長！ 本当に いくん ですか!?
両津くん じつをいうと この件に 関しては わしは 大反対したん だ！
かわいい有能な 部下が 転勤するのなら わしもいっしょに やめる！…と いいたかったよ が やはり 部長 という立場が それを ゆるさな かった…うっ

ライオンはわが子を 谷におとすというようにだな…
寺井 両津は 用意できたそうだ 早目にネ…
つもる話もたくさんあるがおそくなると署に迷惑をかけるからな
部長 そんな～～！
部長！私は署長にひとこといいたい！
ヴロロロロロー…
わかったわかった！よろこんでいったとつたえておいてやる！かわいがってもらえよ！ バーイ
あっけなくまったな転勤しちあいつ……
……………
クルッ
有能な部下がひとり さってしまい 私はかなしい…
今夜は私の家でかれの送別会をひらこうじゃないか…
じつにさびしいものだ……
この心うきうきするさびしさはどこからくるのか……

部長も これで なんの 心配もなく 定年まで 勤務できる な…
今の 時期に 転勤なんて やはり おかしい
本庁にいって 問いあわせて きます
おい 中川!
プァーー
特快
高尾
なにが 警視庁の 問題児だ くそ!
ガタタン!!
ガタン
それにしても 東京に 山奥村なんて あるのかよ 地図にも でてないぞ
小学校 社会科地図帳
三訂版

ちょっと たずねるが 山奥村は どうやって いくんだ?
ああ 山奥村ね… ちょっと 遠いよ……
立川《たちかわ》で 青梅線《おうめせん》に のりかえて 奥多摩《おくたま》で また 山奥線にのって 終点でおりる そこで ロープウェイに のって 山をこえて さらに バスで 5時間ぐらい つぎに 徒歩で 4時間って とこかな……
一度 道に まようと もどれなく なるから
それと 熊や山猫に 気をつけな 銃くらい もってないと あぶないよ
小学校
なんだか まるで 鬼でも 成敗しにいく ふんいきが してきた……
ガタタ…
ガタタ…
ガタタ
ずいぶん 古い ロープウェイ だな…… だいじょう ぶかな?
ガタタ… ガタ
明治《めいじ》元年に つくられたべ お客さんは 半年ぶりの 客だ!
さっきから 気になるが なんなんだ? あの音……
プツ プツ
ロープが 少しずつ きれているだ ふたりは 定員オーバー だからなあ

ぎゃあー おちる たすけて くれ〜!!
ブツ ブツ
ガタン
ガタ
ほら! 動くと よけい きれが はやく なるだよ
なに!? 転勤は まちがい だって!?
本庁の コンピューターが まちがえて 先輩のファイルを だしてしまった そうです!
あいつの ファイルは コンピューター も 狂わす のか!?
とにかく 先輩に しらせて きます!
まて! 中川
まちがいなら いずれ むこうの署で 帰して くるだろう…… せめて それまでは あいつのいない平和な 派出所でいよう わかったな!
あいつ いく途中で 行方不明にでも なってくれるよう いのろう……
ものすごい ライオンの 父親だな…

YAMAOKU STATION
山奥駅
きっぷうりば
かわや
BUS STOP
これでも駅のつもりかよ! まったく
障子戸の駅なんてこの辺の住民はなに考えて生活してるんだ
大字山の果て島流し署ってのはどっちだ
そこからバスで5時間ほどいった所だんべら
このへんの時間ってのはすべて1時間単位だなくそ
BUS 山奥バス STOP
バスがくるまで弁当でもたべてまつか!

ふだんなら今ごろは 署で天玉ソバでもくってるところなのに！
ピクニックじゃあるまいしこんなとこでくうとは思わなかった
駐在さんそこで バスをまってまんのか？
ここで店をひらいて金魚すくいでも始めるようにみえるのか？
そんなことないけどそこのバスこないべ…
わかっとるよどうせ2～3時間まつんだろもうなれたよ！
それならいいけんどそこのバス会社先月 つぶれてしもうたよ…
なに!?
ふざけやがって！まったくくそ！
かってにバス会社つぶすなちくしょう
こうなったらたよれるのは自分の足だけ………
ん!? まてよ…
たしかさっき……島流し署まで バスで 5時間かかると……
ジ〜〜〜

じょうだんじゃねえ! そんなにあるけるかってんだ! くそ!
もうやめだ! いくのやめた!
くそうよりによってこんな辺ぴな所に転勤させやがって
おぼえていやがれ
ゴロリ
そこさねてるとあぶないだよ!
うるせえなひけるものならひいてみろ
本当にひいていいだか…
!?
ヴォオオオム
な…なんだ!
これじいさんの車か?
んだ これから畑をたがやしにいくだよ
PORSCHE
中川のと同じようだすごい!
畑にいく時はいつもこれを使うだ

養豚場に いく時は ふぇらーりって のに のるだよ
四輪ドリフトで 養豚場に 横づけすると 豚たちが よろこんでのう
島流し署に いくんだが のっけてって くれんか…
ええだよ ちょうど 通り道だで のう
しかし 農協《のうきょう》は ずいぶん もうかってるんだな!?
おい じいさん こんな所 通るのか?
この神社 こえたほうが 近道じゃけん ね!
ガガガガ
どうだべ わスの ドライビング テクニック 今度は あぜ道で ヒール・アンド・トウ やるけんね
やらんで いい ラリーに きた わけじゃねえ

キッ
ついたべ ここだべよ
ありがと さんよ！
おでかけは一声かけてカギかけて
島流し警察署
警視庁
なんだ こりゃ!?
五重塔を署のかわりに使っている…
信じられんような警察署だ
署長の顔をみてやりたいよ！

明るい農村
暗い都会
なんだ だれひとり いないじゃ ないか!?
農業ごよみ
ここの署員は どうした 休みか?
いるだよ
署長は いるか? 用事が あるんだが
さっき 車で 畑へ いってた けど……
きた! あの人が 署長さん だよ
ブロロロロ
あっ あんたが 署長!?
また あんたかね なんの用 ずら!?

亀有公園前派出所より今日からこちらに転勤になりました両津巡査長です！
転勤…？本庁からはなんもきいていないべ！本当かいな？
署長がこれだ！先が思いやられるよ
とにかく命がけでここまできたんですからね
まあとにかく中にはいってくださいな
いったいみんなはどこにでてるんです？
もう帰っただよここは3時でおしまいだべ！
3時におわりだって銀行じゃあるまいし夜勤があるでしょひとりものこらなくていいんですか？
この村は平和を絵にかいたようなところだんべここ10年間なーんの事件もないんべさ
それに みんな草とりやなんかで忙しくてとても勤務には手がまわらんずら
本当に警察なのか？
じゃあんたは明日から内勤でもしてくんろ
内勤か！そりゃ楽でいい

内勤ていうと 机仕事が ほとんどだろ 外勤より かんたんだな
いや! ここは ちと ちがうだべ
ニワトリや豚の 発育状況 農耕馬のカイバの たべぐあい などの調査…
そいから キャベツ 白菜の 出荷の統計 農作業の 指導などを やるんだべ
農業大学に きたんじゃ ないんだぞ! 警官が そんな ことできるか
住民を守り 手助けするのが 警察だべ! 事件のない時は 村人に役だつ ほうが いいべ ちがうか?
ま… そりゃあ そうだが まるで 屯田兵《とんでんへい》だな
とうちゃん 晩ごはんが できたから 早く 家サいこ むかえに きただよ!
そうかね 今 かえろうと してたとこだべ
ランプをともして 明るい村づくり!!
ものとり恐い!! すもうとり強い!!
警視庁
娘の 民子《たみこ》だ!
今夜は うちの 家サ とまって いくと いいだト
え!?

視庁
流し警察署
あんたは娘の車でついてきてくんろ
ブロロロロ…
村のあちこちに高級車がとめてある
みんな畑にいくのに使うだよ 畑まで遠いだからね

キッ
さあ どんぞ 酒も用意 してある だよ!
さ… 酒!?
地酒だで おいしいだよ
いやあ 話がわかる
いやあ! この家の ちゃんこは じつに うまい わははは
よかったら 全部 たべても いいだよ まだ いっぱい あるだ
ここは じつに いい所だよ!
酒はうまいし たべものも うまいと きてる!
ここだけの話 わしが いた署なんて ひどい所 だったよ
ほう そんなに ……?

とくに あそこは 部長がダメ ありゃ いかん! おかげで わしも力を 発揮できぬまま 16年も すぎて しまった
なるほど 部長さんがね…
そこいくと ここの署は とても よさそうだ なんたって 署長さんが いいんだよ
いやあ おはずかしいだ!
今日 署長の 顔みた時 この職場なら わしの才能も 十分 発揮 できる! そう思ったね
まあ わしが きた以上 今後 大船に のったつもりで いてください!
どうぞ 全部 のんで いいだよ
いや! この酒は 口あたりが 最高だね!
そして このアットホームな ふんいき…… 家族つきあい だね!
これも ローカル署 独特の 味わいだよ うん!
そこいくと まえの署は タコ部屋 男ばっかり 色気なし
あそこの署は 根本から 改善せんと いかんですな まず 幹部たちの 首きりから 始めんと!

★週刊少年ジャンプ1978年29号

山奥村大戦争!!
の巻

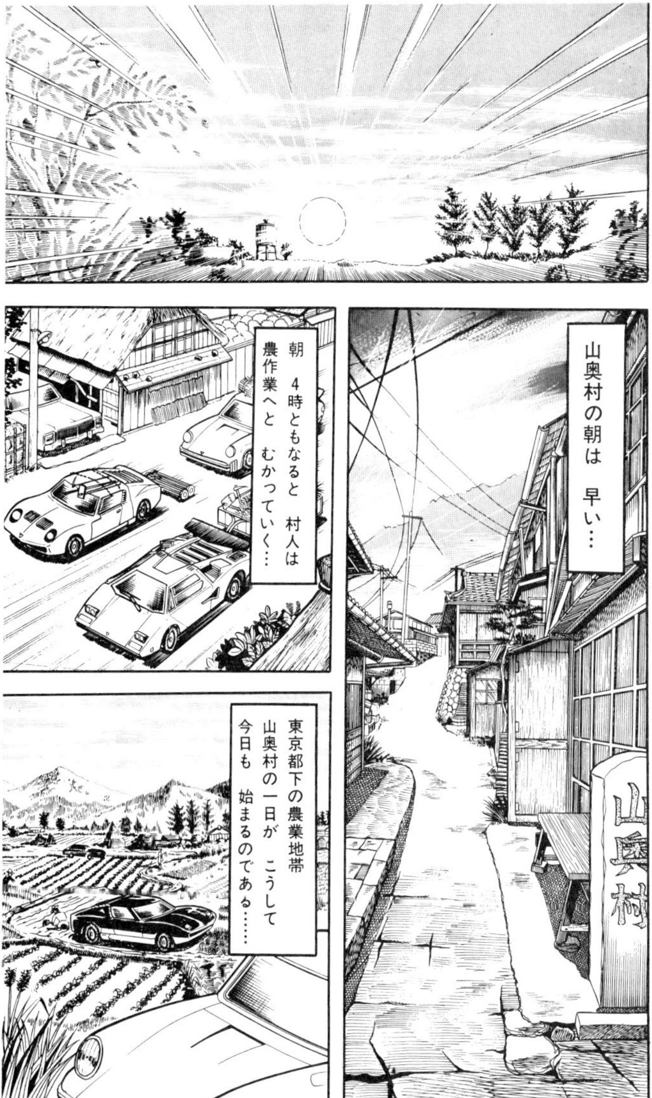
山奥村の朝は　早い…
朝　4時ともなると　村人は
農作業へと　むかっていく…
東京都下の農業地帯
山奥村の一日が　こうして
今日も　始まるのである……
山奥村

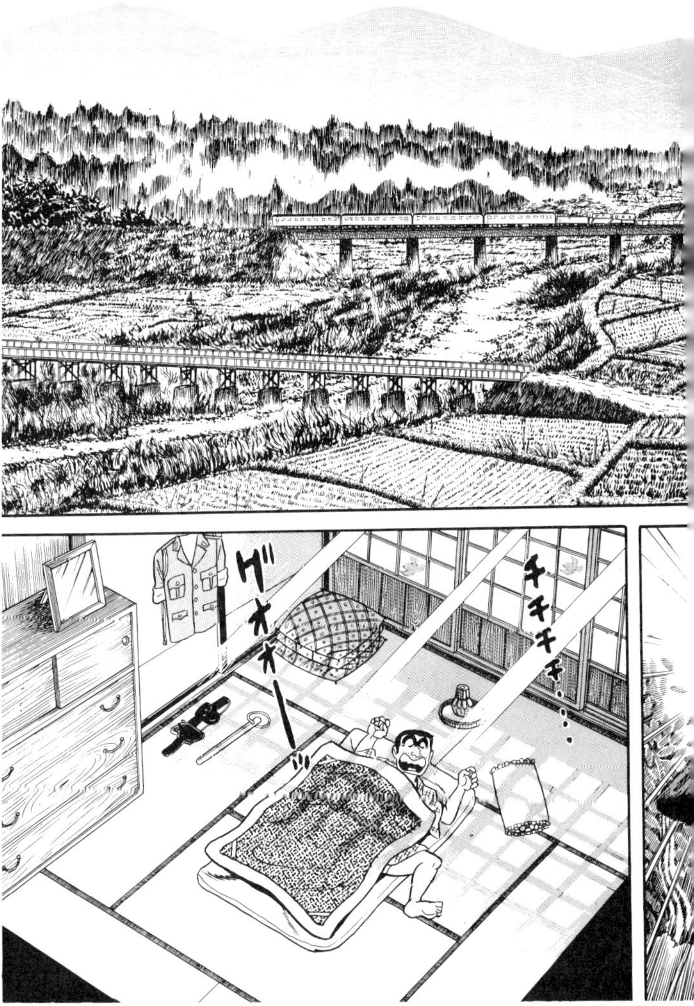
チチチチ・・・
ヴオオーッ

スー…
朝食の用意ができてるよ！
ガオー
ん…？むにゃ
ぐわあああいいおんな!?
ぎゃああーあ
ガバッ
ものすごく寝おきがいいだなあんた…
ん!?
キョロ
キョロ

そうか……きのうからこの山奥の署に転任になってそこの署長の家にとめてもらっていたんだっけ…
夕べは帰りがおそいから車でさがしまわって大変だっただよ
署長は!?
とっくに母ちゃんとでてっただよ畑仕事は朝早いだ!
こっちきてごはんたべるといいよ…
ああ…
そうか夕べはよっぱらって山の中をほっつき歩いてたんだっけな
まずかったな…
パク パク パク パク

そんなにあわてててたべなくていいだよ
ズズ…
すっかり習慣になっちまってな!
さーてメシのあとはテレビでもみるかな…
この村はテレビないだ電波がとどかないだよ
じゃあ 新聞か週刊誌でもみて………
スズキみかん
駅までいかんとうってないだ!
タバコも…なしか!
みるものきくものなーんにもなしか!?
しいーーん…
じゃ…そろそろ署へいくか!
車でおくるだよ!
こう なにもやることなしじゃ働くしかないじゃないか! 村人はいったいなにがたのしみで生きてんだ?

バオオオオオオオッ
あら!
キッ
牛たちがさぼって昼寝してるだべ
グオー!!
グオー!!
なに?こいつら仕事やらずにさぼってるのか?
こんな所にいちゃ通れないだよ
ゴオー
てめえ!どかねえと署にしょっぴくぞ!
だめだこの連中いうこときかんだ
くそ!

まったく しまつの 悪い 連中だ!
ブロロロロ…
バタ
ええだよ ほかの道を いくだ!
キキ…
バババ ウウウウウ…
ババシャ
おい! ちょっと
お… おい!
川の中 いくのか!?
浅瀬 だから だいじょうぶ だよ…
ここを 通った ほうが 早く つくだよ
ババシャ

両津巡査長出勤しました!!
警察官募集
どうしただそのかっこうは?
暑いからちょっと川にはいりましてね………
あれ? 紹介は…
別にいらんひとりふたりふえたとこでかわらんだべ…
ところでどんな仕事をやりゃいいんだい
時間まですわってりゃいいだよわしは畑にいってくるだ……
ちぇっいいかげんなもんだよやる気なくなるよ!

どうも ここは おちつかねえな！
のんびりしすぎて調子がくるっちまう！
おい！このあたりにパチンコ屋ねえか？
パチンコ？あんなもんまだやってんのかあんた？
パチンコだのマージャンゴルフなんてひと昔まえに流行してたな
一時は 村中ディスコやゲームセンターでいっぱいだったがもう みんなすたれちまっただよ
とくにディスコなんてわしらもかよったがもう 古い！
今 はやってるのはよ ラジオ体操！こりゃ ナウだよ 山崎鏡子《やまざききょうこ》さんのピアノがなんともいえん
あんたも しっとろー NHK《エヌエッチケー》第二放送で朝8時と 午後3時にやっとるばい！ありゃ 最高のフィーリングだがね
バックのかけ声が いいだよ あの しぶい男の声が ソウルっぽくしびれるだよ！
最近は 第一体操より第二体操のがはやっとる！リズムが だんだん早くなるだ
第二体操の片足とびがやってみるとむずかしいだ サウスポーよりむずかしいだよ
今度 新ラジオ体操第三が できるっちゅうウワサだ つづいて 第四、第五…と第九十九まであるそうだ

今度 いっしょに おどると いいだよ 4チャンネル サウンドで 村の 年よりが集まって 夜明かしで おどるだ! ふりつけも あるだよ!
えんりょ しとくよ その図を 想像しただけで 気味悪い!
この村は すすんでるのか おくれてるのか さっぱり わからんな!
駐在さん ちょっと きて くんろ!
なんだ なにか 事件か!?
ニワトリの 花子《はなこ》が ひきつけを おこして!
しるかっ そんな もん!
農業は おまえのほうが プロだろっ わしが しるもんか!
ニワトリまで 手がまわらん きてくれよ!
ここの 近くだ!
ニワトリ なんて 早目に しめて くっちまえば いいんだよ
ブー
ブー
コッ コッ コッ

なるほどな!
ふにゃ〜
朝からグターッとして……
あっまさか!?
なおった……?
初めからウソなんだよ仮病だ!
ここにいる連中みんな役者だ!人間さまをおちょくっているんだよ
スト決行中
牛舎はきれいにそうじしろ
だいたいこの村は平和すぎるからこういうやつが……
てめえ!このやろうコンビーフにしちまうぞ

ふだんはたらかさないからすっかりあそびぐせがついちまったんだよ！
ンモ～～
今はすっかり機械化されてしまって必要ないだべ
動物ってのははたらかしたほうがいいんだ！
こら！はたらけっこれをひっぱるんだ！
駐在さんむりだよ一度もやったことねえんだからおしえないと
そうか…
よくみろこうやって腰をいれてひくんだ！
そしてずっとまっすぐに……
…………

このやろう！馬サシにして料理屋にたたきうるぞっ！
くそ！にげ足の早い馬だ
ようし！その調子だもっと気あいをいれて！
もういいだよ駐在さん！
花太郎《はなたろう》だってこんなにつかれてよォ
ゼイ ゼイ
ばかっ演技だよく みろ
そんなことねえだよ！

やい！
おまえは
役者か？
こらっ
チャッ
あっ
ま……
まってくれ…
話しあおう
…………
うつな…
牛ちゃん
話せば
わかる…
ま まって
くれ……
ジャリ
ジャリ
うわっ!!

わ わしが
悪かった
コンビーフ
なんて ウソ
ウソだよォ
うわっ
ズギューン
大変だァ
動物たちが
暴動を
おこした！
くそ～～
ズギューン
ヒヒ～ン
ンモ～～
あいつらを
ほっといたら
なにするか
わからんぞ
どう
するだね
全員…
いや
全匹
逮捕だ！
暴動だぁ
ひなんしろ～
カーン
カーン
村の
青年団に
協力
たのむだ！
署長！
青年団
なんて
役に たつ
もんか！

バラバラバラ
ガガガガ
モ〜〜〜
これが村の青年団か!?
村の予算でかっただよ
ガガガガガ
これならみんなつかまえるのも時間の問題だな
ん……民子!!
ドガーン
村の自警団の本部を 牛たちに占拠され 逆に反撃されてるだよ父ちゃん!
ドバババッ
ドカーン
なんという連中だ!

このままじゃ青年団はやられてしまうなんとかしないと
なんとかしろといってても…
そうだあいつがいた！
戦闘のことなら安心してまかせとけ　電話は　どこだ
この村にはまだ糸電話しかひいてないだよ
でもテレックスならあるだこっちだべ
めちゃくちゃな村だな…
手をあげてトラックにとび込む現代っ子
亀有公園前派出所
部長！先輩から連絡がはいりました！
なに!?両津から…？
山奥村で戦争がおこって援護をもとめてます
ようしわしもいく！

ババババババ
ずいぶん大勢できたなあ
おかしいな たしかこのへんのはずだが…
中川 あれじゃないのか?
え!?
おーい ここだ! ここ 早く あいつらをやっつけてくれ～～～!!
牛や馬と戦争ごっこしている… なんて平和な村なんだ……
このさい どさくさに まぎれて 両津の上に 250トン爆弾を おとしてやれ!

★週刊少年ジャンプ1978年30号

屋根の上の休日…の巻

この部屋 まだ 人が はいってるが どうするの かね……
え？
今日が 寮の 畳がえの日 だったっけな！ もちろん 全部の部屋を やってもらうよ
まだ 中で ねてんだよ どうする？
なんだい 両さんの 部屋かい？ 全然 かたづけて ないじゃないか
ここから 始めないと 今日中にゃ おわらねえよ
かまいません やっちゃい ましょう 私も 手伝いますよ
じゃ そっちの ヘリを もって……
よい しょっ と！
な なに事 だ！ 地震か⁉

あーーっ なんだ おまえら 人が せっかく ねているのに！
なんだじゃ ないよ！ 今日は 畳がえの日だろ 掲示板に かいてあったろ
なるほど かいてあるな！
掲示板
5月15日 畳がえ!! 荷物をまとめておく事!! AM10:00~18:00 管理人
早く 手伝ってくれよ！
ちぇっ じょうだんじゃ ないよ！ 朝早くから おこされて たまんない よ！
おい！ そこ いく キミたち ちょっと きたまえ！
え…？
たしか…… キミたちは 今年 卒配に なったばかり だったね
はい 先月から この寮に はいりました よろしく おねがいします
今 ここの寮長の 部屋を 畳がえしとる ぜひ 手伝って あいさつーした ほうがいいぞ
そうですか さっそく 手伝います

これで部屋のほうはなんとかなった……
朝早くおこされてねむくてたまらん!
どこかでつづきをねないとな…非番で今日一日休みだし…
おい!股崎《またさき》いるか?
やあ両さんおはよう
おまえも今日は休みか?
今日は午後から出勤だよ今おきたところだ
ポリ
ポリ
それじゃ夕方までねかしてもらうぞ…ん★なに たべているんだ?
朝食!ラーメンだよ
バリ
両さんもたべるかい?はい!
なんだよこのままじゃだめだろ!になきゃ…
しらないの?朝なんか忙しい時つくるヒマないでしょう
そんな時これひとつポケットにいれ本署にいってから袋からだす…

そして 付属のスープをメンのすき間にまんべんなくふりかける
このまぜ方にコツがいるんだ
そして……おもむろにかじるわけ これがこうばしくてなんともいえんのよ！
おまえ よく そんなのくってて ハラが おかしくならないな！
うん！いろいろとためしたんだが みそラーメンはたべづらかった
やはり塩ラーメンが一番おいしいな
しおラーメン
それから これは まだ実験中だけど……
しょうゆを直接メンにかけてたべるんだ 名づけて〝つけメン〟
いいかげんにしろ！
ラーメンをたべたあと熱いお茶をのむんだ！そうすればハラん中でふやけるだろ
それなら 直接カップラーメンの中に お茶をいれればお茶づけラーメンになるなァ
うん！それはおもしろいね いけるよ〝お茶づけラーメン〟ねノートにメモしとこ
そんなことばっかりしてるから おまえはいつまでもヒラ巡査なんだよ
なんだこの野菜の山は 虫でもかってるのか？
いなかのおふくろが送ってくるんですよ！
努力

これもあらわないでそのまま丸かじりか?
はい！出勤まえにキュウリを5本！ふろあがりに玉ねぎ3個ねるまえにニンジンを6本……
まるでキリギリスみたいな男だこいつの食生活は複雑怪奇…
よかったら両さんもどうぞ！
はいごめんなさいよ！畳をかえますよ
ちぇっここにもきやがったか！
30分くらいでていてくださいね
どこでも追いだされちまう
くそ！どこも同じか…畳なんてもんは20年くらいだいじょうぶだよまったく！
しかたねえフロ場でねるかあそこにゃ畳はないだろ
両津さっき管理人のおばさんがおまえをさがしてたぞ
なんだと!?

やばいな……フロの中にタワシをいれてつまらしたのがバレたのか？
さあ しらんな とにかく さがしてたぞ
津
それとも寮で かっていた金魚の水そうにウイスキーをいれて 酔わせた一件か…あるいはトイレブラシで食器をあらったのがバレたか………
おまえ ずいぶん思いあたること多いな………
使用禁止
受付
新たに入寮された方は酒の二・三本持ってあいさつにくる事 管理人
管理人室
両津巡査長はいります！
なんだい両さん……急にあらたまってはいってきて!?
いや…そのなんとなくはは……
いや ほかでもないんだけどね屋根をなおしてほしいんだよ
えっ!? 屋根の修理……？
それだけ？それだけでよんだの？
そうだよ…ほかになにかあるのかい!?

いや
べ別に！
なんでもない
なんでも！
じゃ
わるいけど
たのむよ
もうすぐ
梅雨《つゆ》に
はいるからね
早いうちに
やらないと…
みかん
しかし なんで
この時期に
なると いつも
わしが
やるんだ？
若い連中が
はいったろ？
先日 交通課の
池沢《いけざわ》さんに
修理をたのんだんだけど…
足を
ふみはずして
おっこちてねェ
なんでも
頭を強くうって
車の運転も
できないんだとさ！
それじゃ
わしなら 頭を
強く ぶつけても
たいして
かわらんから
いいだろうと
いうのか！
そんなこと
いってやしないよ
両さんなら
修理が 上手
だからさ！
プロ顔まけ
だからね
両さんなら
心配なく
まかせ
られるのさ！
プロか…
まあねェ
はは……
よっしゃ
それじゃ
バッチリ
修理して
きてやる
たのんだよ
両さん！
わたしゃ
マグロ川のォ
梅の花〜〜〜
ちょいちょいと

あ！両津先輩なにを始めるんです？
みりゃわかんだろ屋根の修理よ！
両津組
すごいなあ両津先輩なんでもやるんですね
まあな別名〝寮の便利屋〟とよばれている
うーんいなせだね
あれでハシゴを使わずロープでヒョイとあがるとかっこいいけどな
あれ……ハシゴをおろしたぞ…？
やめる気かな？
ではこれから屋根にのぼる登山テクニックをおみせする！
すごい！ロープでのぼるんだとさ！
まるで山のぼりだっ
おい！寮の連中みんなよんでこい！
ぜひみんなにみせよう

こんなところ ロープなんかで のぼれるはず ないだろ! いちおう ポーズを みせるだけ!
そして 天候が 悪いとかいって けっきょく ハシゴを 使うわけよ
ガヤ ガヤ
いちおう 先輩としての 男いきだけを みんなに…… ん!?
早く やらないかな? まちどおしい!
ガヤ
いったい なにが 始まるんですか?
さあ…… なんでも 屋根から とびおりる らしい……
ガヤ
ガヤ
ぎょっ
COM
73
そりゃあ たのしみ ですなあ
こ こんなに あつまり やがって…… やばい!
早く 早く!
おい おすなよ!
クワー
クワー
ガヤ
きょ… 今日は 天候が……
おい きいたか! 今日の天気は 最高だって! やる気 十分!!
クワー
クァー

公園前派出所代表!がんばれっ
ワーワー
おうまかせておけ!
やるぞーっみんな拍手!
ワーワー
これでもう完全にあとへはひけなくなってしまった……
ばかにおもてがさわがしいねえ?
管理人室
ワーワー
ガヤガヤ
あっなんだいいったい!?
先輩がロープで屋根にのぼるんですよ……
ガヤ
両さん修理をたのんだけれどさァ…ロープであがらなくてもハシゴを使えばいいんじゃないかい?
あっいいところにきた!!
なに!? ロープはやめたほうがいい!
そうね!残念だけどおばさんがそこまでいうなら……
ちょっとおばさんじゃまをしないで!
せっかく本人がやる気だしているのにだめだよ!
そうだったの悪かったね
い いやその……

じゃあ わたしも ここで みているからね!
ぐぐ……
ワー
こうなりゃやけくそだっ やってやろうじゃねえか!!
わーっ もろはだぬいだぞーっ
バッ
ワー
それ——っ
よし こんなもんだろ
おちたらおちただ!
グイ
グイ
うわーっ のぼった のぼった!
やった すごいぞ!
ワーワー
オー
ワァー
パチパチ
食堂
外がやかましいなに事だ!?
ガヤガヤ
消火器
本日のメニュー
こらっ なんだ! 外にあつまって!?
あっ 寮長!

なに
両津が!?
あっ!!
こらーっ 両津
寮で 山のぼりの
まね事するなど
ゆるさんぞーっ
おりてこーい
本人だって
すきで
やってる
わけじゃ
ありませんよ
コトの
なりゆき上
やらない
わけにゃ
いられなく
なっただけ
よし!
あと2メートル
もうちょい
だ!
ズルッ
うわっ!
あっ
あっ

だいじょうぶかっ!?
あれ…いないぞ…!?
どこかへいっちまった!
先輩はちゃんとのぼっているぞ!
道具箱だけおっこちてしまったんだ
ガヤ
ガヤ
やった――っ
ついにのぼりきったぞ
わっはははは
のぼるとあっけないもんだなじっさい……
あまりおもしろくなかったなア……
バラ
バラ
バラ
スリルが少なかったと思うよ
ざんねんざんねん
人が命がけでやってるのになんて野郎たちだ!
のぼるよりもおちるほうを期待しやがってくそ!

かなりいたんでるみたいだな……
トタンをはりかえなきゃベコンベコンだよ！
ここなんかはがれて地ハダがみえとる
あっ
じょうだんじゃないよぬけないじゃないか
あた——っ
両足がはいっちまった！
よっぽど少ない予算で工事したんだな………
相撲の仕切りじゃあるまいしこんな姿してる場合じゃないよ！

ふう ようやく 半分くらい 修理できたよ!
両さん ごはん つくったよ おりて おいで!
おっ もう お昼の 時間か!
おりるの めんどうだから ここで たべる このヒモに ひっかけて くれ!
おばちゃーん 酒も たのむよ あと 食後の コーヒーも!
まるで ピクニックに でも きてる つもりだね
労働のあとの 食事は うまいもんだ ながめも いいしな

食後 すぐ動くと体に悪いからなもう少し休んでいよう
今日中にかたづけりゃいいからな
私にもお茶をもらえませんか?
うるせえなあこんな所で……ん☆
なんだ!?
バラバラバラバラ
ちょうどのどがかわいてたところなんですよ!

午後はいつもこのヘリで散歩するんですよ！いいところであいました
ちっともよかあない帰れ！
バババババ
今その屋根にとめますから……
じょうだんじゃないっそんな物がのったらつぶれてしまう！
ケチらないでくださいよ
ばか！おりるな本当につぶれるぞこらっ
バラバラバラバラ
あっ
グッグッ
なんですか？そんなところにしがみついて……！
こらっおろせーっ早くしろっ！
バラバラバラバラバラ
はい！
だめだっおりるな屋根がつぶれるぅ
バババババ
いったいどっちにするんですか!?
なんとかしろ！おまえのせいだ

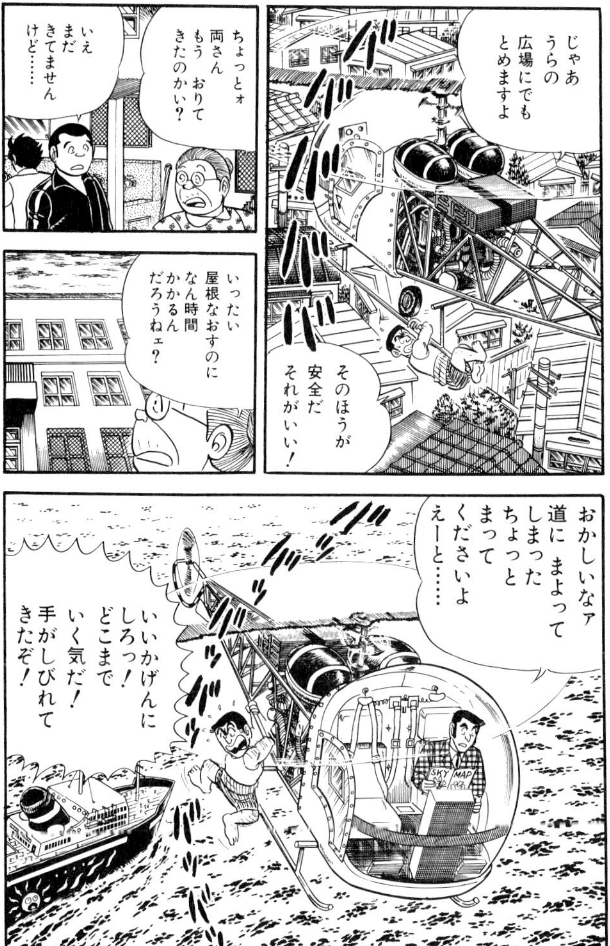

★週刊少年ジャンプ1978年24号

NAKAGAWA
両
BMX

リングアウト!?…
の巻
51
007
4
17

いい天気だ！仕事なんかするのはもったいないくらいだな
あぶないいっ どいて！どいて！
なに!?
だから どいてって いったじゃないか！
なんだと きさまから ぶつかった くせに！
うしろも注意しなきゃ だめだよ お巡りさん それじゃ いそいでるから！
おい こら まて！
LET'S BEGIN
いたた たた！
警官を おちょくる とは なまいきな ちょっと 派出所まで こい！

おまえたち なにやってんだよ 早く いかないと 始まっちゃうぞ!
ブレーキが かけにくいんだよ むずかしくて!!
ペダルを ちゃんと 逆回転させ なきゃ だめだよ! 力をいれてサ
LET'S BEGIN
じゃあ 先 いってる からね!
あっ まって くれよ!
先輩 どうしたんです ドアなんか こわして……
すきで こわしてる わけじゃない ばかもの!
まったく 近ごろの ガキと きたら… ん!?
今日は やけに 自転車が 多いんじゃ ないのか!?
レース ですよ 自転車の レース! B・M・X《バイスクルモトクロス》!

おまえも あいつらと いくんじゃ ないのか？
自転車が ないんだよ なんとか してくれよ お巡りさん！
なんで わしが なんとか しなけりゃ いけないんだ 自分で 買え！
人を たすけるのが 警察だろ！
このやろう 口ばかり たっしゃに なりやがって ぶっとばす ぞ！
まあ まあ 先輩 つくってやれば いいじゃ ないですか
レース用のは 特製で 軽くて じょうぶに できてんです ほら…… この本にも でてるでしょ ネ………
なるほど… おもしろ そうだな
よし この自転車を 改造して つくってやる！ どうせ ヒマだからな
軽くするなら みんな とっちゃえば いい ライトも ブレーキも！
ポイ
軽ければ いいって もんじゃ ないですよ
平気！ 平気！ これも……
ポイ

どうだ! このシンプルさ 必要ないものを 全部 とりはずして しまった!
はずしすぎだよ スポーク3本じゃ タイヤが はずれちまう
これくらいが 一番 みやすくて いい! 多すぎたんだ
よろしい! わしが 今 試乗して みせて やる!
わははは みよ! この軽快な 動きの バリエーション!
シャアアアア…
ギギギ
蝶《ちょう》のように舞い 虎《とら》のごとく 鋭くせまる! これがポイント
これなら 相手が どんな モトクロの 自転車でも ぶっちぎりよ がははは!
ピキーッ

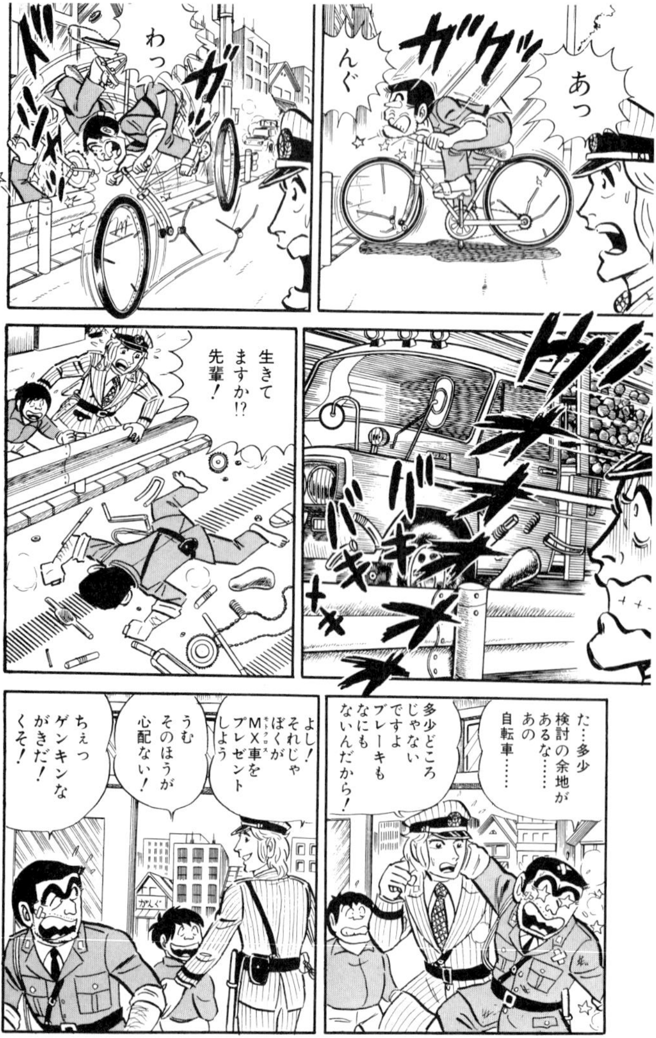

ガグッ
んぐ
あっ
わっ
生きてますか!? 先輩!
た…多少検討の余地があるな……あの自転車……
多少どころじゃないですよブレーキもなにもないんだから!
よし! それじゃぼくがMX車《モトクロス》をプレゼントしよう
うむ そのほうが心配ない!
ちぇっ ゲンキンながきだ! くそ!

今日のレースはチームレースなんだお巡りさんたちもでない？
えっ!? ぼくたちも!?
中川おもしろいじゃないかぜひともでてみよう
はい はい わかりましたよ
うむ マングースかわりといいタイプねこれ……
このヘルメットわしには小さすぎる全然 はいらんじゃないか！
あっ あれでいい あのほうが迫力ある！
それじゃあわれわれもさっそく会場までいってみましょうはい！服です
ずいぶん子どもっぽいチャラチャラした服だな……

服は自分でえらぶことにする
外に車がありますそれにつんでください
LEE!
NAKAGAWA
やってるやってるずいぶんたくさんきてるなあ
NAKAGAWA
レースの予選を始めるからリーダーはあつまって!
じゃあぼくがチームのリーダーをやるよ!
うん!
あれ先輩は……?
はいはいここにいますよ

いやあ おまたせ！
3
なんですっ そのかっこうで 出場するんですか!?
まず 一番は コスチュームで 他を威圧する わけよ
うおりゃ ちょわー
うおっ
子どもを 相手に おどかしている だけじゃないか
いい ポジションを 確保して きますから まっていて くださいね！
おう がんばって こいよ！
NAKAGAWA
ひさびさに 運動するんで 体が なまっとるな！
グッ
うおっ おっおっ
おい そこの ぼうず ちょっと こっちへ こい！
え？ なーに
準備運動 がてら 相撲を やろう わしに かかってこい
うん いいよ！

うむ！どすこいっ！
なかなか力があるじゃないか！その意気だよしよし
いい運動になったよどうもありがと！
ちょ…ちょっとまて！
そうかきみは柔道をやっていたのかいやあわしも油断していた
全然そんなのしてないよ
それにしてはいいスジをしておる！わしが教えてやるもう一度かかってきなさい
うん いいよ！
わはは今度はその手はくわんぞぼうず！
ただおすだけじゃいかん 柔よく剛を制すといってな……
グイ
グイ

なに☆
ぐえっ
あはっ本当にかかっちゃったふざけてやってみたのに!
わははは今のをよくみていたか!?
え?なにを…
今受け身をみせてやったじゃないか! 今のように受け身をやるんだ!
今度はなげ方を教えてやるなげ方をな!
もういいよ! 予選がおわるから……
そう遠慮するなわたしはきみに強くなってもらいたい!
このやろう~やられっぱなしでかえせるか!

どりゃあ
ともえ
なげ！
先輩!!
うっ!?
ズン
ガツン
ポール
ポジションが
とれましたよ
先輩！
セメント
WAKAGAWA
よろこんで
ください！
前のほうを
バッチリ
とりました！
いたたた
ゆらすな！
頭が
ぶちわれる！
ぼくが
トップを
やりますから
2番手は　その子
先輩は
アンカーを
やってください
どうでも
いい！
とにかく
早く走りゃ
いいんだろ

スタート!!
がんばれーーっ!
まけるなよーっ
そらあどけどけっぶっちぎりだ
今回もぼくらのチームがいただき…ん☆
あーっ

タッ
すごい!まるでオートバイだっ!
すごいチームがはいってきたなあ!
うわっ あのお巡りさんかっこいい――っ
次はおまえだ 早く用意しておけ!
はい!タッチ あとはたのむよ
オーケー ばっちり
ザッ
えーと 自転車のエンジンブレーキはどこについているんだっけ……
本当にだいじょうぶなのかよ…あいつ

こっちは逆！あっちへいくんだよ！
あっ そうか ははは
NAKAGAWA
ちゃんといけますかね？あの子……
さあね…もう もどってこないかもしれんぞ
はあ はあ
受付
がんばれ あと5メートル
NAKAGAWA
せっかく 中川がトップにしたのに みーんな ぬかれやがって ビリだよ！やってられんな まったく！
はあ はあ はい！タッチ
はい はい！ごくろうさん！
NAKAGAWA
それじゃ いちおう いってくるが ビリは 確実だぜ かなり はなされちまったからな
ちぇっ ラテカセ とろうと 思ってた のに！
なにっ ラテカセだって！
そう この大会で 1位になると くれるんだ でも もう だめだね！
賞品
ラテカセ
本部
そういう ことは 早く いうんだ!!
ようし 全員 ぶちぬき だ!!

B・M・X《バイスクルモトクロス》も
腰ぬかす
猛ダッシュ!!
うおおおおおお
す すごい
あっという間に
いなくなった
あれほど
人間がかわると
おそろしくなる…
キイイイーン
がおおおおおおっ
ザザッ
あいつらが
トップ
グループか!
さすがに
早いな
くそ!
めんどうだっ
まとめて
ごぼう
ぬきだ!!

うわっ
なんだ!?
宇宙人がとんできた!
AIUEO KANKO
金子
わはははみたか!いっきにゴールだっ
ビヨ～ン
ゴール

ゴールをこえてとんでいっちゃった!
もうめんどうみきれないよまったく!
中学校
祝 校長先生 除幕式
パチ パチ
パチ パチ
では 代表して警察の方からメッセージをどうぞ!
えー本日はまことにおしい方をなくされまして……
われわれ警察にも貢献していただき………
キイイイイ……
ドガ
ぎえーーっ 100万もかけた銅像が!
わはははみなさんおあつまりでなにかあったんでしょうか?
またおまえか……! くくくく きさまを生きたまま銅像にしてやりたい

★週刊少年ジャンプ1978年22号

いとしの
マイカー！の巻
OIL

パパ 夕食のしたく できたわよ もう そのへんに したら……
カァー
うむ… もう1回 あらったら いく! もう少しだ
まだ あらうの? もう15回目 でしょう?
もう 朝から ずっと かかりきり じゃないの! 車のほうが すりへっちゃう わよ……
キュッ キュッ
ピカ ピカ
この… かがやき ………
夢にまで みた 日野《ひの》ルノー 4CV《シーブイ》PA《ピーエー》
ながき 念願の末 今 やっと 自分の 愛車と なった
思えば おまえと であってから はや 20数年……

私が まだ巡査のころ 免許証を とった
しかし 当時は 車など ぜいたく品だった
まして 私の給料などでは とても 手が とどく物でない
給料
当時 新車で 大人気だった この日野《ひの》の800CC《シーシー》は あこがれのマトだった……
日野ルノー 65万円
青年警察官の私は その時 心に ちかった……
今に……今に! あの車を 自分も かってみせる ぞ!……と
そう思い 20数年…… 娘を育て 家のローンに おわれ……
とても 自分の車など かえぬまま 月日が たって いってしまった
しかし ようやく この年になり ひと息 ついた今 私は決心した!
ついに かって しまった のだ!!
わが青春の 思い出と 夢を のせた この車を!
この車を さがすのに 3か月 かかったが……
これこそ 当時の型! 当時の色!
マイカ〜 ………
なんと こころよい ことばのひびき なのだろう… おお マイカー

夏の犯罪防止運動週間
なに！あのケチな部長が車をかっただと!?
あの年になって血まよったか!? 中年はなにをしでかすかわからん…
おまえたちそこであつまってなにをやっとるんだ
ちゃんと運転席に…いや！席についで日誌でもまとめんか！
ギク
部長！車かったそうですね！

なんて車です? ロールス・ロイスですか? それともリンカーン・コンチネンタル……?
ばか! そんなものかえるかっ 国産だ 国産車!
部長 今度 その車でドライブにいきませんか?
なに ドライブだと!?
来週 みんな夏休みをとるでしょう
全員で海にでもいきましょうよ 部長!
わしが 運転していくのか? 遠のりはしたことがないぞ!
なにをおっしゃいます 部長のうでなら 日本一周もできますよ かるいかるい!
なんでも軍隊時代はジープで将校をのせ前線から前線へとびまわってたという……
いやあ 銃火の下を時速80km《キロメートル》で……
しかし… まあ… おまえたちがそこまでいうのならつれていってやらんでもないが……
うわっ そりゃあ いいたのしみだ!
バカもの! そんな年じゃない! いいかげんなことをいうな!
ガ

エンヤ・コーラ
太田たばこ店
たばこ
ちぇっ ここで まちあわせ したのは いいけど むかえに こないじゃないか
もう 一時間も すぎて ますよ
おれたちを だましやがったな どうも 話が うますぎた くそ!
せっかく 水中めがねや 浮きぶくろまで 用意してきた のに!
あれ!?
むこうから くるの 部長じゃ ないかな!?
なん だと!
ブルルルル‥
いやあ おくれて すまん すまん!

道路がこんでいたものでなそれじゃみんないくか？
部長の新車というのはこれですか？
いちおう 動くみたいだが…まだ 日本にこんな車 のこっていたのか？
早く両津ものらんか？
ちょっと用事を思いだしてなおまえたち先に いってろ！
グイ
ちょっとまってください！
いやだ！あんなみっともない車のれるか！めだってはずかしい
先輩がのりたいっていったんでしょうが！
せっかくのせてやるんだ早くせんか！
やだっ！ これは車じゃない鉄のカンオケだあーっ
バタン
ブルルルルルッ

部長 もう少し はしによって 走って くださいよ
プアーン
パアーン
まるで ハジを 世間に ふりまいて 走ってる ようだ
これ以上 左に よれんよ ギリギリだ
それなら 歩道を 走るとか この車に シートを かぶせて 走るとか……
スタントカーを やりに きたんじゃ ないんだぞ!
部長 もう このへんで いいんじゃ ないですか?
海へ いきたく なくなっ ちゃった ひきかえし ましょうよ もう 車に 一分 のったし…
おまえが 海へ いくと いいだしたん だろうが おまえは…
ギュッ
部長 前 前!

気ィ つけんかい どこに 目を つけとるん じゃ あほんだら
ひゃあ
部長! 気をつけて くださいよ
両津が よけいなこと いうからだ!
だいたい おまえが…
あっ にげた!
こら! にげられる とでも 思うのか!
たすけて くれ まだ 死ぬのは 早いよ!
うわあ! やめてくれ 死ぬ!
ガチャーン

部長！こりゃあないよ！とってくれ～！
ガチャガチャ
やかましいしばらくそうしてろ
ブォォォォォ
部長おしっこ～！ちょっとはずしてくださいよ
また始まった！
窓からチョイとだしてすりゃいいだろ車内でしたらゆるさんぞ
バカな！犬じゃないんですからね！
あれ……？
ブロロロロ
木更津《きさらづ》へいくには今の道まがるんでしょ
おっといかん！
みろっおまえが話しかけたからまちがえたじゃないか
なんでも人のせいにするな！

しかたない次の角をまがることにしよう！
このへんは一方通行の出口でずっと左折できませんよ！
U《ユー》ターンしてバックしちゃえばいいじゃないすか！お巡りもみてないし！
バカもの不謹慎なことをいうな！
ブロロロ…
なにやらややこしいとこにはいってしまったぞ…
えーと
道路地図
部長あれが千葉街道《ちばかいどう》ですよ
なに!?
ほらあの道路へでればいいんです
しかしこの道は12時すぎないと通れんとかいてある
私道につき
8-12時まで
通行禁止
あんな手がきの道路標識なんてかまうことないっ たかだか10m《メートル》くらいの道を！
おまえはだまっていろ！

12時まであと25分あるここで時間までまつことにしよう
やれやれ部長はかたいからなあ
かたいなんてもんじゃない！みんな鉄の頭とよんでるよ
ブオオオオッ
ひやっほお〜〜〜っ
あっ
ブオオオ
あの車この道を平気で通るぞくそ！
私道につき 8−12時まで 通行禁止
まったく近ごろの若い者ときたら！

うわっ
部長！だいじょうぶですか!?
なんて乱暴なやつらだ
部長！やつらをおいかけましょう
まだあと3分ある！
ガンコもここまでくると天然記念物だな……
よし時間だ

みんな海へいく連中の車だ！
ブオオオオ
まったくうるせえやつらだな暴走族め！
へーイおじさんそんなポンコツでどこいく気だい？
ブオオオオオ
なにっ
そんなことてめえのしったことか！
てめえこそ地獄へ送ってやる！
チャッ
このバカいいかげんにしろ！
ガゴッ
部長あんな連中になめられて平気なんですか!?
ブルルルルル・・
ブオオオ
ひゃっほ〜
ぎゃははは
ポ・ン・コ・ツだ
はじめから相手にするんじゃない
ピーピー
非番の時まで拳銃をもち歩くんじゃない！まったく

ちぇっ くそ～～～
おまえは まだ 平常心が なっとらん！
ああっ!!
くそ！ なんて ひでえこと しやがんだ
部長の 大切な車に！
おまえら 車に のるんだ………
えっ!?

ギャアアアア
うわっ
ぎゃあーっ
ぶ…部長ーっ どうしたんですいったい！
わしの青春の碑といえるこの車にキズを…
あいつら…ゆるせんやつらだ…
ぞ〜〜〜 わしより迫力がある……
えらいかわりようだ…
バァン
おい！さっきのポンコツえらいいきおいでおってくるぞ
やばいにげろ！

ギャギャギャギャギャギャ
部長！少しおちつ…
うるさいっだまれ！
ど…どうすんだ中川！
完全にいかってます！
ギャギャギャ

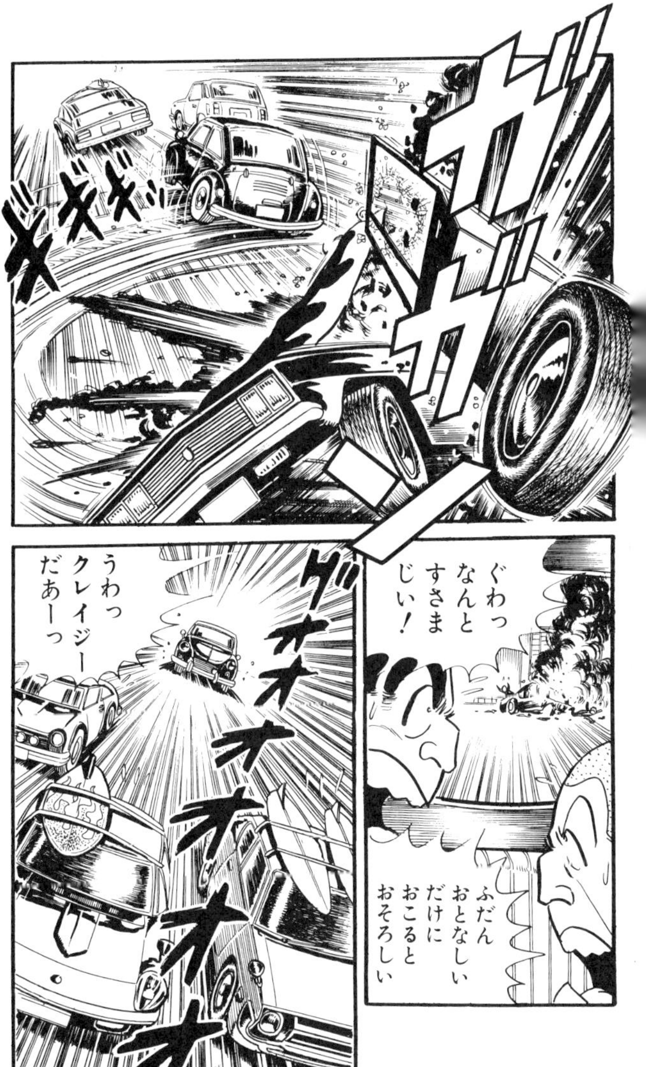
ぐわっ なんと すさまじい！
ふだん おとなしい だけに おこると おそろしい
うわっ クレイジーだあーっ

★週刊少年ジャンプ1978年33号

モー署粉砕!
の巻
1ダース
ELEGANCE
火の元用心
警視庁
BEER
AOMORI BEER
ビール
ふきん
つゆの素
パパ
レモン
NET
5人前

ふーむ
なるほど……
大人気ラブロマンス
ただ愛に生きるだけ
兎熊 ブス子
その時
ジュリアンファラファス
フォヒーヌ女王は
シムカスエティテンス公爵夫人と
シュメラド・ビル・マスカラバス王子に いった
「こんにちは
シュメラド・ビル・マスカラバス王子
私はジュリアンファラファスフォヒーヌです
となりに いるのが
妹のシュシアヌファヒャホフェファスフォヒーヌです…」
どうも少女漫画は名前を よむのが精いっぱいでストーリーまで頭に はいらん
じゃっかんついていけない部分がある
王子も いった
「こんにちは！
私も 今日は
弟のフェヌラパヒシュヘホフンヌビビンバユッケをつれて…」
先輩！
そうめんがふきこぼれてますよ！
そうか！すっかりわすれていた！
つい 漫画に夢中になってしまったあぶないとこだった！
ずいぶん顔に にあわない漫画をよむなあ…
そっちは用意できたか!?
O・K《オーケー》です！

おう けっこう けっこう
消火器
おそいぞ 両津
では これから 夏の風物詩 流しそうめんを 始めます
夏みかん
能書きは あとにして 早くしろ!
いよっ きた! きた!
ザザザーーッ
中川に やらせてやる わしは たべるほうに まわる からな!
ちぇっ

パッと
すくって
サッとたべる
じつに
風流な
たべ方だ
ザッ
ザッ
だんだん
早くなって
きたぞ…
全部
とってやる
0・9秒の
この早さ!
サッ
バッ
おい 両津
そこで
みんな
くったら
こっちへ流れて
こないだろ
川下に いった
おまえらが悪い
弱肉強食の
時代だからな
かわいそう
だから
気持ちだけ
めぐんで
やろう
一度 口の中に
いれたもの
流すな
きたねえ!
いた
だき!
サッ
サッ
強い者が 勝つ
これこそ
自然の
おきて!
お!
きた
きたぞ
サッ

きたねえぞ戸塚!
弱肉強食っていったのはだれだよ
よし!それならこっちは流すまえにくってやる
なにくそおれだってやってやる
こいつわしのが先だ!
いいかげんにしてくださいよ!
流すまえにたべたら流しそうめんにならないじゃないですか!
まったくもう!
赤いめんのはいってるのが先輩の!
緑のめんのはいってるのが戸塚さん…
そしてなにもないのがいいですか寺井さんちゃんと守ってくださいよ!
夏みかん
消火器
ちぇっシルシつきかよくみてねえとな
あっ今の赤だった

こらっ くうな その赤いのは わしだ！
反射神経が にぶいんだよ おまえは…
そういってる あいだに また 赤いのが 通りすぎてく ぞ……
あっ
また くいやがった わしのだぞ これは！
ほら！ 今度は ふたつも 通ったぞ みろよ！
ちくしょう おぼえて いやがれ！
ははは もう たべ おわったのか
両さんを おこらすと あとが こわいぞ
これで たべる分が ふえたな
あーっ ノリを 流して いやがる！
なんか そうめんの 味が かわったよう だな……
うん さっきから ねばっこく なってきた ような……
ニチャ
ニチャ

うえっ ぺっぺっ
わははへらず口をたたけんようにノリづけしてやったぞ
こんなもんくえるかってめえ!
やろう〜上司にむかってなんてことしやがる!
その根性をたたきなおしてやる!
たたきなおせるものならなおしてみろ!
どうする中川…?
ヘタに手をださないほうがいいでしょうほうっておきましょう
大変です!
ん? どうした

あれは気にしないでどうぞすわってください
ところでなにかありましたか…?
お金をおとしてしまったんです20万円も!
袋にいれてこのポケットに……
………
ポケットに……それからどうしました?
気がついたらなくなっていたんですよ!
気がついたらなくなっていた…と
こいつ!こいつ!こいつ!

なんの!!
こいつめ!!
バキ!!
ボカ!!
ゴキ
もう少しハジにすわったほうがいいですよ
もしかしたらだれかがひろってこの派出所にとどけてるかと……
とどいてませんね おとした場所はわかりますか?
それがわかればとりにいってますよ だからこうして……
でやあああ
まだまだ!
はい! つづけましょう
その お金に名前をかいておきましたか?

あ　あの　いいです…　私　もう一度　さがしてみます…
あっ　そうですか……？
どうも！　がんばって　さがしてください
あれじゃ　だれだって　帰るよ
がははは　ざまあみやがれ！　正義は　かならず　勝つ！
あいつは　クレイジーだ！　手かげんを　しらん！
さっき　だれか　うろちょろしてたようだったな…
ええ　お金を　おとしたとかで……
今時　おとした金が　もどってくると　思って　やがんのか　あまい!!

あいた!
だれだ! こんなとこにカベをたてたのは!
ん!?
牛じゃないか!?
モ〜〜〜ン
先輩! 牛にしりあいがいるんですか?
バカ! そんなものいるはずないだろう!
こ こらっ なにをする!
ペロ
おや……
じ〜〜〜
おまえもしかして山奥村の花太郎か……?
コクン

ゴックリ
ひょっとして わしを たずねて きたのか?
亀有ようかん
やややっぱり 先輩の 友人じゃ ないですか
おまえ 動物しか 友人関係が ないのか?
じょうだん じゃない! 勝手に こいつが きたんだ!
おい でていけ! めいわくだ
おまえらも 手伝え! 部長に みつかったら 大変だぞ!
もう みつかっ とるよ…
ズル
なんのマネだ この牛は…? 派出所の ペットにでも する気か?
え? 部長 これが 牛に みえる?
やだなあ ネコですよ これは ネ・コ!

ツノのはえたネコか？よくみろ
ははは なるほど ツノがあった
わすれんようによーく目の中にいれとけっ
あいたたた ネコじゃない 牛！牛！
まったく いいかげんなことを！どうするんだこの牛！
いてー 目ん玉がつぶれた
2丁目の焼肉屋にうっちまったらどうです？30人前くらいには…
すぐうることばかり考えるな！
こんな所においといてどうするんだ なんとかしろ！
はい!!

中川 山奥村に連絡して ひきとりにきてもらえ
ちきしょうめ おまえがくるからだ さっさと帰れ！
先輩！ だいじょうぶですか？
ちくしょう いててて…
もう頭にきた！ ただじゃおかんぞ！
やい 出て行け！

あっ
ふせろ！あの牛はうつぞ！
え!?
うわっ
わおっ
うわっ

ああ拳銃をとられた！
あれがあの牛の正体なんですよ！
なんとおそろしい牛だ！
おえ！つかまえるんだ！
わかってます！
気をつけろよ相手は銃をもってるぞ！
コーヒー
レモン
あんなでかい図体してどこへにげやがった！
あっいた！

コーヒーハウス信輔
なんてやつだ喫茶店で休んでいやがる!
信輔
チャッ
ズリッ
チューッ
信輔
先輩にげた!
あいつ牛のくせにミルクのんでやがった

とまれっ!!
バ
チャッ
ガガァーン
やった!!
商店
太田寿し

★週刊少年ジャンプ1978年34号

NAKAGAWA
WA AIR FORCE

スクランブル・
レースの巻

おい 中川 サッカーをやるというからこのスタイルできたんだぞ
もちろんやりますよ ぼくの家でね!
ちぇっ わざわざいかなくても荒川《あらかわ》の土手でいいじゃないか!
今日のサッカーはいつもとちがうんです
おい この飛行機でいくのか?
そう ですけど なにか!?
犬も見学の予定できてるがどうする?
どうぞ! 先輩のひざの上にでものせておいてください
なんかしらんがえらいことになった!
はい! 動きますよ
キイイイイ
NAKAGAWA
NF

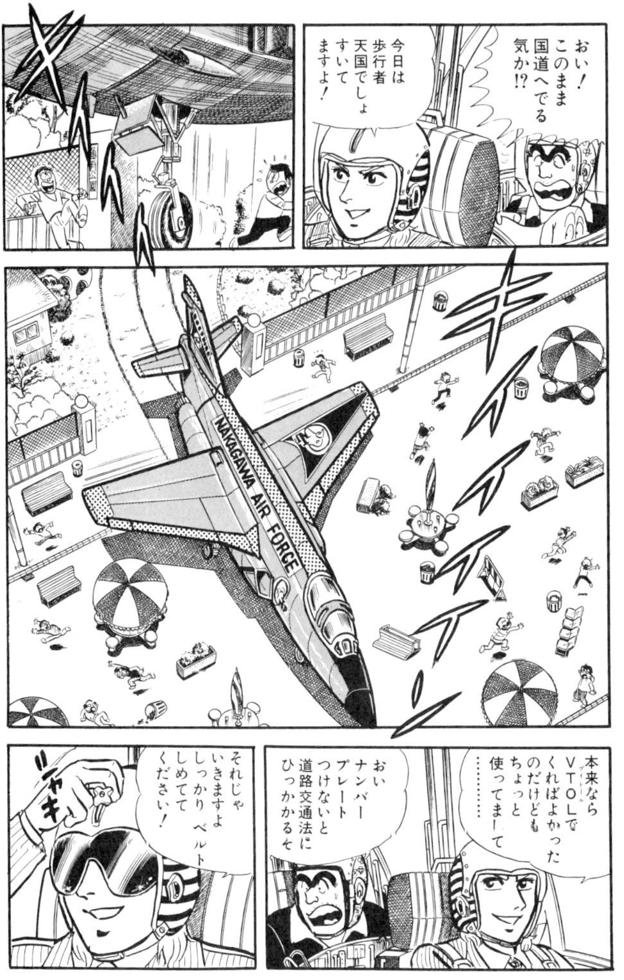
おい！このまま国道へでる気か!?
今日は歩行者天国でしょすいてますよ！
NAKAGAWA AIR FORCE
キィィィィーン
本来ならＶＴＯＬ《ブイトール》でくればよかったのだけどもちょっと使ってまーて……
おいナンバープレートつけないと道路交通法にひっかかるぞ
ジャキ
それじゃいきますよしっかりベルトしめててください！

わわっ!!
両津
ギャアアアア
NAKAGAWA AIR FORCE
NAKAGAWA
NF
ぎゃおっ 歩道橋にぶつかる!!

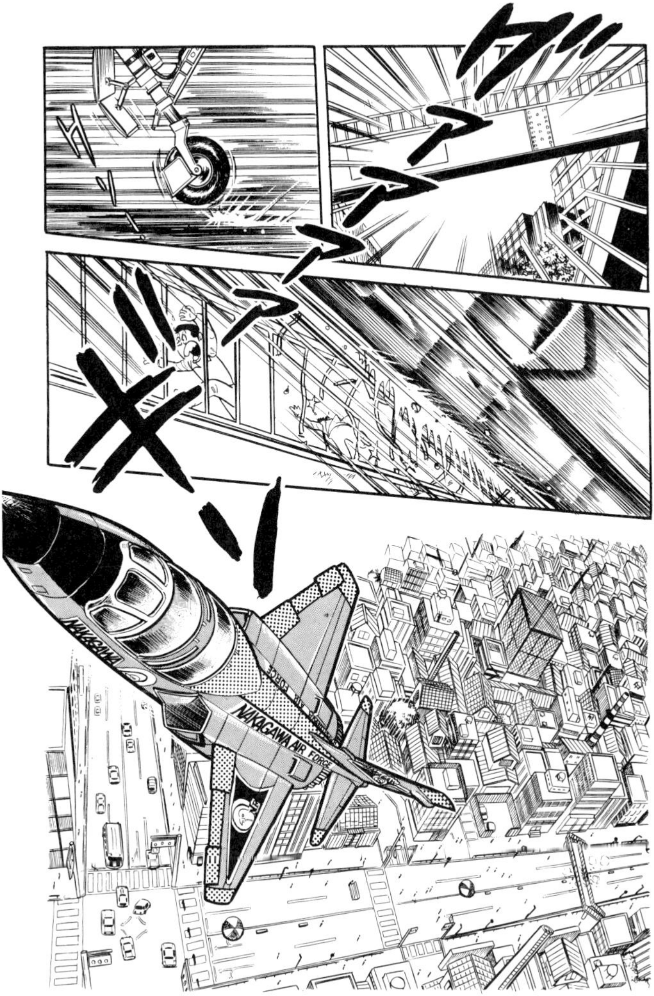
グァァァァ
ズン
NAKAGAWA
NAKAGAWA AIR FORCE

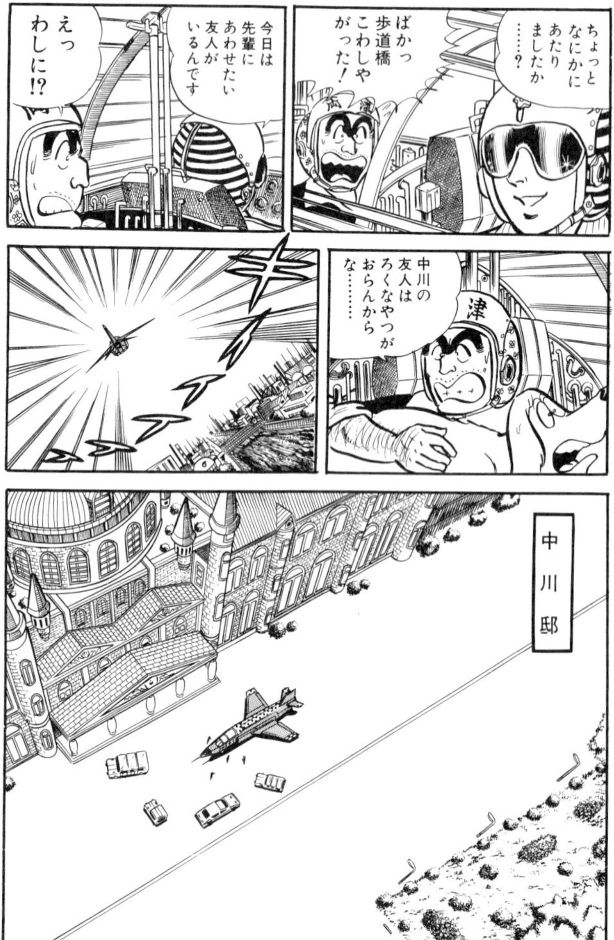
ちょっと なにかに あたり ましたか ……?
ばかっ 歩道橋 こわしや がった!
今日は 先輩に あわせたい 友人が いるんです
えっ わしに!?
中川の 友人は ろくなやつが おらんから な………
キィイイイイ
中川邸

先輩 早く 車に のりかえて ください!
まったく 自分ちの まん前に とめるとは ……
サッカーを やる所は ここから 遠いのか?
すぐです そこで 友人も まってます
いつきても 広い所だ 地平線が かすんで みえる…
ははは ほんの 箱庭 ていど です
ほら あそこに いるのが 友人 です
なに
!?
I Love AGNES

格納庫
ハーイ バード でーす
消火器
かれは 元ブルー・エンジェルスの リーダーやってました 飛行機マニアで 個人で 数十機 もってます!
なんと 外人か!?
以前は ファントムで 牛乳配達を していました 今は ギャラクシー などで ひっこしの バイトしてます
ひっこし荷物 とどけるの ベリー早いね 長崎《ながさき》〜函館《はこだて》間 ご用あらば わたしに 電話 くださーい
かれは すっかり ジェット機が 足がわりに なってるから タバコ買いに いく時も ファントムを 使います
中川 それより サッカーは どうした! どこで やるんだ?

そこですよ ちゃんと ラインが かいてある でしょ
え!?
まあ いいや いきゃあ あるだろ そして ボールは？
ちゃんと そこに ほら！
ば ばかに してるの かっ きさま！
空中で サッカーを やるんです ジェット機 でね！
ガラガラ
なにっ ジェット で？
あっ！

ここは格納庫になっていますかれの機とぼくのコレクションもおいてあります
す
すごい
なんと!これがおまえのコレクションだと……☆
はい 中島《なかじま》の九五艦から 桜花《おうか》 MIG《ミグ》25 フォックスバットA《エー》 F《エフ》―14A《エー》トムキャット そして SR《エスアール》―71まで

でも わしはジェット機なんてのれんぞ!自転車しかのれない!
だいじょうぶです全自動操縦《フルオートマチック》の改造機《カスタム》がありますかんたんですよ……

おぼっちゃん この機を全自動になおしときました これならバカでも運転できます
あっ しぃ！ しーっ
はい これがサンプルね 右にまがる時はレバーを右 さがる時はレバー手前ね わかった？
カク カク
信じられん こんな単純なことでジェット機が操縦できるのか……？
え？ この犬用の全自動……お安いご用で！
3分もあればできますよ
まるでカップラーメンだ
これで4対4だ
はい！ このゼッケン機体につけてください
相手チームは航空《こうくう》防衛隊《ぼうえいたい》のブラックインパルスの連中です それぞれ自由に 機をえらんでもらいました
赤組のキーパーはぼくがやります
こんなもんか？
ひたいじゃありませんよ 機体！ ジェット機の横!!

いいですか 出発しますよ
よし! いつでもいいぞ
しかし本当に 犬も操縦できるのか?
ズバーッ
キイイイイ
F-16
ヘイ 中川 一機だけとびたたないぞ
なんだって!
えーと これを上に……いや!
下だったかな? いや 右かな…
ガチャ ガチャ

まだあの一機とびたてないようだぜ!
犬までちゃんといったというのに犬以下だよまったく!
ドドドッ
うっ
ま…真上にとびあがったぞ!
ドドドドドドドド
ば ばかな!!ハリアーじゃあるまいし垂直離着陸なんてできないはずだ!
ヘイ中川ユーの友人ユニークな離陸のしかたするね
まったくもう……
なるほど地面に大きくラインがかいてあるのか
ようし先手必勝だ!!
ヘッディング!
あ!
ポーン

ドリブル〜〜〜いただき
タッ
おい！パスパス！
ギュ〜ッ
カットね！
あっ
マイボールね！旋回能力ではF《エフ》―16が一番でーす！
キーーーン
ホワット!?
わははは速度能力ではM《ミ》ーG《グ》25にかなうものはないのだ!!

がははは 乱暴能力では わがはいに勝つものはいないのだ!
班長の北原《きたはら》一尉の機が おとされました!
くそ! なんてことを
全機につぐ ゲームなど もう かまわん ゼッケン9を 徹底的に ねらえ!
了解
キィィィィィ
な なに!?
ガーン
ゴーン
バーン
いたたっ

くそ！おれに集中しやがって！
みてろ！タックルってのはな……!!
グァン
こうやんだぞ!!
キイイ
うわっ
キイイイイイーン
みたかっ！必殺ハエたたき戦法だ!!
キイイイ
ヘイ中川！いつからサッカーでなくラグビーになった
もうしらんぞどうなっても……
浜崎《はまざき》三佐こうなったら航空防衛隊《こうくうぼうえいたい》のメンツにかけても9番機をたたきおとせ！
もちろんだ

グァアアア…
ヘイ 中川 あの連中 民間航空路に 平気で つっこんでいく
もう相手に しないほうがいい！ 今回の ゲームは やめよう！
南無阿弥陀仏
亀有シャンゼリゼ通り
うわっ
きゃっ
しつこいな まだ 一機 のこってたか！
金魚の フンめ！
よし！ やっと おいついた ぞ！

★週刊少年ジャンプ1978年20号

部長代行の日!?の巻

まるで地面を はっているようだな気色悪い車だ!
昨日日本に 上陸したばかりです試乗をかねて朝の出勤ってわけですよ
署の連中みて ビックリするだろうな中川!
気にいったら通勤車をカウンタックから これにかえようと思うんです
みんなめずらしがってみてるぞ!
おい!ちょっとわしにも運転させてくれ!
え☆
ケチんなよおまえばかりカッコいいとこみせつけるなよ!
自転車しか運転できないのにむりですよ
ギュ
ガ
ギギギギーッ

ひどい！反対側の車線にはいっちゃった…！
いちいちさわぐな運転しづらいだろ！
うわあ前方からトラックだ！
早くハンドルをきって！
耳元でどなるなっうるせえんだ
相手だってぶつかると思えば自分からよけるよ!!
ちっともよけないじゃないすか！
あんちくしょうえんりょなくひきやがった！

だいたい おまえが こんな まっ平な 車なんかに 乗るから ふみつぶされるんだ バカ!
人の車をジャンプ台みたいにいわなくてもいいでしょう
ピーポ ピーポー
まずい! もう パトカーが きた!
みつかると やっかいな ことになる ここは 車をすてて にげよう
そんなっ まだ 日本に 一台しかない 車ですよ!
あんな ノシイカに なった車など すてちまえ あれは 欠陥車だ!
自分で つぶしておいて これだもんなあ!
今度は 戦車みたいな がんじょうな車 みつけてこい
ちぇっ 家に 電話して ヘリで 別な車 もってきて もらおう 帰れなくなるからな!
あれ…? 部長は まだ きてないのか?
さっき 電話が あって 入院したらしいぞ
え!? 部長が 入院…?
体の調子が 悪いといってな また 血圧が あがったんじゃ ないのか?

2〜3日休むそうだ
ふだんわしにばかりおこっているから大罰がくだったんだ
こまりましたね班長なしで勤務するんですか?
しかたあるまい…
よろしいわしが今日から班長をやる!
え!?両津が…?
先輩がやるんですか?
きみたちヒラ巡査で部長代行がつとまるとでも思ってるのかね?
ここはやはり実績 信頼性 実行力 貫ろくから いってわし以外に適任者はおるまいて!
今日からこの派出所はわしの方針で運営する!
今まで部長がおこなってきた古い制度はすべてすてる!
たった今ここは新時代派出所へとうまれかわった

まず 勤務時間を自由とする 服装も自由! 明日からはなにをきてこようとゆるす!
私服で…? やはり制服でないとまずいんじゃあ……
その考え方がいかん! なぜ 自由な服をきることが悪い? 問題は中身だろ
制服主義の時代は おわった! まず わが派出所が先駆者《パイオニア》となる!
それと 中川… 奥の控え室にベッドとシャンデリアをつけるんだ
え? ベッドとシャンデリアを…?
われわれにとって ここは単なる職場ではない 戦場であり かつ また 住居である… わかるか!
さっそく行動しろ! 中川は家具をかってこい!
戸塚はこの部屋をかたづけろ 不要な物は全部 すてろ
寺井はスシをたのんでこい 上4人前だ
どうして…?
両津班長の新任祝いをやるんだよ さっさといってこんか!
自分で祝うのかい?

うむ なかなか すごしやすい ふんいきに なったじゃないか!
夜勤する ふんいきじゃ なくなってきたな…
今度から 勤務が おわったら ここで うちあげを やろう!
毎日 おわるたびに パーティーを やるのかよ
じゃ 今から 2時間 小休止 する まあ おまえたち 楽に くつろげ
われわれは 体をハッてる 商売だ! 毎日 毎日が 命がけなんだぞ
両さん こっちの ほうは できたよ
2時間も……………

ほう なかなか さっぱり したじゃ ないか!
備品
京人形 セット
これこそ家庭的な職場といえる!
あまりにも家庭的すぎやしないか!?
派出所とは住民に 身近でしたしみやすい場でないといかん!
今までをみてみろ! みんな 派出所の前を 早足でとおったりいやな目で 中をのぞきこんでいくだろう!
まあ ほかに くらべてうちの派出所はフランクなほうだがまだダメだ
だからこそ このようにオープンにして"となりのお巡りちゃん"をキャッチフレーズに愛される派出所にする
そうして住民との輪でもっといろんなとこに派出所がつくられるそうすればマクドナルドや吉野屋《よしのや》をぬくほどのチェーン店になる!
派出所はチェーン店かい?

私が　この班長となったかぎりまかせなさい！前衛的な派出所にしてみせる
今にここで牛丼でもうりかねないな…
あの　失礼します
ちょっと道をうかがいたいんですけど……
なんと！道をおききにわざわざ！
そんなとこで他人行儀なえんりょしないであがってくださいさあ！
グイ
え!?
こら！おまえらいつまで休んでんだ！
先輩が2時間小休止と……
ねぼけたこといってないでアイスコーヒーでも注文せんか！
すぐコロコロかわるからなあ〜〜
ようこそわが派出所にいらしていただきありがとうございます
私　この派出所のマスター両津と申します今後ともおひきたてのほどを！

ところで ご用件は なんでしょう 無料で なんでも いたしますよ
株式会社警視庁 亀有支店 部長代理 両津
ただ 道を ききにきた だけです けど……
はい はい! おーい 中川!
この男が 現地まで ご案内します! えんりょなく 使ってください
どうぞ 表に 車が あります それで………
それじゃ おねがい します!
まだ いいじゃ ないですか TV《テレビ》でも みて ゆっくりして いけば!
また 今度 きた時に でも……
それじゃ これ もっていって ください!
よいこのおもちゃ パトカー
なんですか これは?
本日 開店の サービスです おぼっちゃん にでも あげて 警察に したしんで ください
よいこのおもちゃ パトカー
この派出所が お気にいり でしたら 本庁の広報課に でも 気軽に そういって ください!
内線は 3280《ミニパト》 です

じゃあ先輩ちょっといってきます
丁重におおくりすんだぞ
祝 本日新装開店
PANTHER 42
まいどありがとうございま〜す!
班長ともなるといろいろ神経をつかうもんだなァ…
祝 本日新装開店

おい 戸塚！ 今の男 ひっぱって こい！
なんで？
バカだな！ おまえの目は ふし穴か!?
今の男の 目くばり ポロシャツの エリのたて方 世をすねた あの面！
まちがいなく あいつは 過激派に ちがいない
職質して 同行しろ！ もしかしたら 今から 爆弾を しかけにいく とこかも しれんぞ
そりゃ 大変だ よし！
わしの 管内では どんな事件も おこさせん からな…
ん☆
こらーっ まて！ なにをする きさま！
え!?
信輔質店
質
交通安全
きさま 今 このバアサンを つきたおして 車にひかせようと してたろ
ばかなっ 手をひいて わたろうと してたとこ だよ！
むだな あがきは よせ 口でそういっても 目が完全に ウソをついてる 「殺人未遂」と 「お巡りさんに ウソをつきまし た罪」で 逮捕 する
そんな〜 ひどい！
ガチャ

お巡りさん いいだよ その子は わたしの 息子 だから…
おばあさん 近ごろは 肉親でも 信用しては いけませんよ! 金のためなら 親子の縁も…
うるさい よけいな ことを いわんで くれっ!
まぎらわしい 態度する なよ! ちくしょう
じょうだんじゃない いつ 爆弾を しかけに いった!?
取調べ中
週刊男性
どうだ? こっちは 白状したか ……
いや なかなか しぶとい やつで……
やつの 所持品は ……?
それが 週刊誌 一冊 だけで…
週刊男性
きさま この本で ビルを たたき こわそうと してたろ!
グイ
むりやり こじつけるな むりやり!!
まちがいない 本署へ つれてけ これだけ 口が かたいとこみると こいつは プロだ!
いいかげんに しろ〜〜 予備校に おくれちまうよ〜

まったく班長ってのもつかれるなふう〜！
お巡りさん野犬がうろついてんだつかまえてくれ！
そういうのは保健所にいってくれ！
そうか！今日からわしが班長だったんだ！
本来ならそういうことは管轄外《かんかつがい》なのだ！
だが ここの派出所はよろこんで協力しよう そこのところ本署に ぜひ投書してくれたまえ
相手が犬の時は こっちも犬で 対抗してやろう！
死ぬ気でたたかえよおまえも派出所の一員なんだからな！
あそこですよ！
それっやっつけろーっ

ガウウウウ…！
キャインキャンキャン！
うわっ
いててツメをたてるなきさまネコかこいつ！
なんだと？やつはどう猛なドイツ犬のボクサーだとそれにくらべこっちはペットのマルチーズだからかなうわけない……
バーン
だれがマルチーズだてめえなんか純粋な雑種だろうがこのっ！
ただでムダメシをくわしてんじゃねえんだ!!ご主人さまのいうことをきかねえと肉屋にうるぞ！
なに？いうことをきくから…銃をかしてほしいだと
相手とはあまりにウエイトがちがいすぎるから…？
顔ににあわずひきょうなやつだな…

ん☆
おい こら! この道は 一方通行 だぞ!
ブロロ…
まったく いそがしい!
バックしろ 早く!
ちぇっ せまい道 やっと きたのに!
もたもた してると 違反に するぞ!
ブルルル
まってくれよ ギヤが はいらないん だよ…… おかしいな?
うごかないだと ひょっとして 乾電池が きれたんじゃ ないのか?
エンジン ガソリン エンジン だよ!
先輩 なにしてん です? こんなとこ で………
ガロロロ
おう 中川か… ちょうど いい! この車を おしてくれ
営業中
PANTHER 42
エンスト しちまった らしい むこうまで おしてくれ
了解!
ガバババ
いやあ たすかっ たよ!

いやあ ドブ川に 気をとられて 一方通行の 標識が 目に……
あ…
お巡りさん 注意して くださいよ むこうは ……
川…が ある…の…よ
ズズ
前方の車が 急に 視界から きえたので おかしいな…と
これは わしの せいじゃ ないぞ!
し… しずんで いく… 消えて いく… かいたての RX《アールエックス》―7 が………
プクプク
あんたがた 責任を とって……
あっ! こっちも きえた!
ブロオオオオオオ
早く! もっと 早く にげろ!
これが 警察の やることか…

祝開店
警官募集
新装オープン
キキキッ
なんのさわぎだこりゃ!?
うわさをきいて子どもたちがあそびにきてんだよ!
そうか! けっこうけっこう子どもにすかれてけっこうネ
みんなえんりょなくあそびなさい!
だあーっとびげり!!
やった! おおあたりーっ
平気ですか先輩!?
元気でけっこう! ぼうやこっちおいでおかしをあげよう
わーいおかし! おかし!

★週刊少年ジャンプ1978年31号

モンスター・ポリスの巻
交通ルールを守ろうね
募集
アキビンは
このケースへ
お入れ下さい
亀有牛乳
警視

じゃ上へいって書類もらってきます
おうまってるぞ！
あいかわらずサツバツとしたとこだよなここは！
この人を探して下さい
ただまってるってのも退屈だTV《テレビ》ぐらいおいてないのか
おうねえちゃんよ！
ね…ねえちゃん…
漫画ないか？なけりゃ週刊誌でもいい！
警察にそんなのおいてあるはずないでしょう
銀行だって漫画をおいてる時代なんだぞまったく！
いくらポスターばかりかわい子ちゃん使ったってかんじんの中身が古きゃしょうがねえだろ！

わたしにいってもしょうがないでしょ広報の人にいってちょうだい！
女ってのはすぐ責任転嫁しやがる！
署の教育がなっとらん
近ごろ夏バテ気味で体がなまってきたな！
少し体を動かさんといかん！
ビッ
シュ
右左ワンツーワンツー
この軽快なフットワーク！
フックジャブピチピチジャブジャブランランランと！
ピョコ
ピョコ
シュッ
シャッ
むっわしのしらんまに署長のやつこんなとこに銅像をたてやがった
10年はええんだよこのォ！
ガーン

グラッ
あっ
ガ
キ
ガヤ
ガヤ
ははは ちと 形が かわっち まったかな…
ゴト…
あいきょう あいきょう
あの人 本当に 警察官なの ……？
公園前 派出所の人よ 〝始末書の 両さん〟って この署じゃ 有名よ！
公園前派出所 っていうと あの中川さんが いるとこじゃ ないの！
そうなのよ おまけに 中川さん あの人と 仲いいのよ！
信じられ ないわ！ あのかっこいい 中川さんが あんな人と…
ちょっくら 署の中を のぞいて くるか…
次長！ おはよう ござい ます！
うむ！

次長！オッス!!
オ…オ…ス!?
な…なに!?
なんてあいさつのしかただあいつ！
もーしもーしベンチでささやく〜〜〜〜〜♪♪♪
…ときたもんだ！
カベのペンキぐらいぬりかえろってんだ！…おや？
朝ゲイコか？どれどれ！
おう一年ぼうずがやっとるやっとる！
たあ〜
セイ
でやあ
おりゃっ

けっこう
けっこう
気合いが
はいっとるぞ
未来の日本は
きみたち
青年警察官の
双肩にかかっとる
おおいに
がんばってくれ
でやあ〜っ
たあっ
うりゃ
あっ!
きみ
きみ!
上手
だしなげは
こうして…
こう
ひっぱって
ぼくらは
柔道を
やってんです
よし
先輩のわしが
ケイコを
つけてやる!
えんりょなく
かかってこい
本当に
いいんですか!?
焚書抗儒
しょくんも
そこで
よーく
みておき
なさい!

クス クス
本当にえんりょなくやるじゃねえか!
実戦の柔道ってのをみせてやる!
ああ
先輩どこへいっちゃったのかな?
10秒と同じとこにはいられないんだからなあ
今度は首にスズでもつけといたほうがいいんじゃないかな?
ため…
うわっ!

あ〜〜〜っ こんな ところに!!
さあ 次は どいつだ!
次は おまえを コブラ ツイストで…
先輩!
もう 用事が すみましたから 帰りますよ
ちぇっ
いいかっ おまえら! 柔道ってのは 度胸 腕力 先手必勝だ!
やられる まえに やる! これが ポイントだ わかったな!
新入警官に そんなこと 教えちゃ ダメですよ
バカ 勝負は 勝たなきゃ ダメだ!
だいたい あんな ヘナチョコたちに 犯人が つかまえ られんのか?
まだ みんな ルーキー ですからね

あのう……おねがいがあるんですけど…
おっミニパトのねえちゃんたちか…
サインをいただきたいんですがいいですか?
くっくっくわしも有名になったものだ……じつにいじらしいことをいう
勤務にいそがしい身の上だがまあ同じ署のよしみだ少しくらいなら……
わーっ本当!
中川さんこれおねがいします!3枚ね
総務の女の子からも10枚!
わたし5枚!
サーッ
クイ
なんで芸能人でもない一地方公務員の中川のサインなんかほしがるんだ!わしとあいつとどこがちがうってんだ!
くそ!3か月の免停かよくそ!
おぼえておけ!マッポめ!
HIRO
ギュ
あいたっ
いてえじゃねえかこいつ!
むっなんだよ

人の足ふんどいてなんだよっていいかたがあるか！
しるか！ボケーッとしてるから悪いんだ！
おまえそれがおとなにいうことばか！
うるせえ警官だからっていばんじゃねえてめえ！
警官もくそも関係ない！自分が悪いのにあやまらん気かおまえ？
だったらどうするってんだよ！
グイ
こうすんだよ！
ドタ ン
きゃあ
ガシャ
ガシャア
みんなやっちまえ！
うおっ
よしこい！
体がなまってたとこだ！相手になるぞ
ガッ

とりゃあーっ
でやああ
あ〜〜〜ちょっと目をはなすとすぐあれだ！
交通課長！暴走族の連中がケンカを！
なに！
ガッ
こらっおまえら今免停になったばかりだろ
うるせえそれどこじゃねえや！
ガーン
いてっ
ぬぬ〜〜っここでおこっちゃいかん！
さっきの説教がむだになるがまん…がまん…忍耐だ……
ここはひとつ若者風にせまってみよう……
なあ！みんなおれたちゃ仲間だろォもう一度よォデスカッションしてみようぜなっ！
バキ
バイク没収しやがって〜なにが仲間だ！しらじらしい〜

課長！
がまん…がまん…人間…しんぼうだ
クソしてねろ！このデブめ！
ド
ク…ソ………
し・てね・ろ………
こ・の………
デ・ブめ……だと…！
ぬっ
もはや…限界もここまで…
いかりをわすれたら人間じゃない……！
おまえらひとりのこらずぶちのめしてやるぞ！
グイッ
うわあ
ドガッ
ガシャン
きゃあ

こらっ
バカもの
ここは
署内
だぞっ
あいた
ーっ!
署長に
さからう
やつは
全員
逮捕だ!
おい!
署長が
やられる
ぞ!
われわれが
たすける
両津 中川の
やつら
いったい書類を
もってくるのに
いつまでかかって
るんだ まったく
な
なにごと
だっ!?
これは…

あっ
両津も
くわわってる!
うりゃー
こらっ
やめんか
おまえら!
ここを
どこだと
思ってる!
グイ
バキッ
うるせえな
おっさんは
ひっこんでろい!
柔道三段の
わしに
かなうと
思ってる
のか!
ビュッ
ぎゃっ
バリーン
このやろお
ガッ
バキ
先輩!
だいじょうぶ
ですか!?
めちゃくちゃだ
もはや 手が
つけられん!
ダッ
あとは
しらんぞ
ここから
にげるぞ!
あっ

ヤジ馬がいっぱいあつまりやがった!!
ガヤ
ガヤ
ガヤ
ザワ
どうするんですこれじゃにげるわけにいきませんよ!
う…うむ
しかしあんなになってしまっては……
なんとかしないと!
本庁にしれたらたいへんですよ
よーしわかった!
中川 こい!
でやあ!
バキッ
ボッ
うわっ
くそ!やりやがったな
てめえこのっ!
ドタッ
バタッ

うわあ──っ!!
水が!!
中川!
もっと目いっぱい水をだせ!
IZUZU
消防

私の機転でとめたからいいものの…………
警察官たるものなんということをするんですか……あなたがた…
次長もいっしょに なってやるとはなにごとです!
本庁に しれたら懲《ちょう》戒《かい》免《めん》職《しょく》ですよあんた!
マスコミがしってごらん…5段ぬきでトップ記事ですよただでさえ 批判が高まってる時だというのに………
署長!
あんたもここへきてすわりなさい!
まあきみたちもふかく 反省してるようだが……
私がいなけりゃこんな署ぶっつぶれているよ……
ねえ!中川さんもいいけどあの人も魅力的ね!
本当!とってもたのもしい気が するわ!
やる時にはやる!すごく男っぽくてかっこいいわ
なんたって野性的よ!顔もふくめて!

いやあ まったく 署長として はずかしい ことを……
原因は いったい なんだったん ですか？
暴走族が 角刈りの 警官と ロゲンカを したのが 始まりで…
角刈りの 警官と ………？
それは… 両津のこと じゃないか！
じろ～っ
きみたちも 反省した ようだし… このへんで……
今日は これまでに しとこう… はい！ 解散！
一番の 張本人は おまえ だな～!!

★週刊少年ジャンプ1978年35号

夕立ち！の巻
SPOPTSMAN SHIP
SHIN

すると私が 町会のガキども…いや子どもたちをキャンプに つれていくんですか?
ぜひお巡りさんに同行してもらいたいといわれてな!
なんで私がいかなきゃなんないんですか!?
他の署員はみんないそがしくてな一番ヒマで子ども相手にピッタリの人物はおまえしかいない!
ピ
出発は来週の土曜だひとりでもケガ人をだしたらクビだぞ!
ちょちょっと部長!
キャンプなんて一度も いったことないんですよ!どんなものもっていくのかもわかりませんよ!
そこは自分で 考えてやるんだ警察官としてはずかしくない態度をとるんだぞ
ちぇっ一方的にきめつけるんだからな!まったくもう!
おい 中川どんなもんもっていくのか教えろよ!
いたたたた!

キャンプなら この本で 特集して ますよ よくよんで ください
持出禁止
ほう なるほど どれ どれ……
プレイボーイ
19歳女子大生A子《エーコ》 私は この夏 ある男性と しりあって…
そこは 相談室! キャンプは つぎのページ からですよ!
先が おもいやられ るよ……
旅行前日
いよいよ 明日 出発だが 両津のやつ 準備は できて いるのか?
ゆうべ 秋葉原《あきはばら》に かいだしに いくとかいって でかけたよう ですが……
今日 荷物を ここへ おきに くると いってました いっしょけんめい 本みて 勉強した みたいですよ
そうか あいつも なかなか やる時は やるもんだ なあ……
いやあ おはよう みなさん!

きのうは買い物に時間がかかりましてね!
のっし
のっし
おまえなァエベレストでも征服する気か?
やだなあ部長!キャンプにいくんじゃないですか!?
先輩!オーバーですよそんな重装備しなくても……
ちゃんとこの本にかいてあったぞ
プレイボーイ
これは冬山登山の用品ですよページがちがいますよ
なにっちがう?同じようなものだと思うがな…
もっと軽装でいいんです不要な品が多すぎます
そうかわしもこれではつかれると思っていたとこだ!
消火器
本気であの姿でキャンプへいく気だったんだな……
ほうっておいたらなにするかわからんやつだ!

軽装ってえと こんなもんで いいのかえ?
ちゃんと タオルや セッケンも もったぞ それから シャンプーに リンス ひげそり ……
フロへ いくんじゃ ないんですよ!
ちゃんと テントや 飯ごうなど もたないと キャンプが できませんよ
そんなもの ガキどもに かりりゃあ いいじゃないか!
食料なんか どうするん ですか?
ガキどもから とりあげて くっちまえば いいんだよ!
まるで 山賊だ…
わざわざ ついてって やるんだから そのくらいのことは 当然の権利だ!
明日の キャンプが たのしみだな 血わき 肉おどる!
おー 牧場はー みーどーりー 草の海ー 風は吹く ♪
部長! 先輩が キャンプリーダーに なってて だいじょうぶ ですかねえ?
うーむ 警察全体の 信用に かかわって くるな!

旅行当日
亀有駅
はい みんな 一列に ならんで!
亀有 よい子の会
ガヤ
ガヤ
ワイ
ワイ
お巡りさんに 3人も 同行 してもらって たすかります よろしく おねがいします
いやあ なに なに!
けっきょく ぼくらも いくことに なってしまい ましたね!
あいつ ひとりじゃ どうも 心配で おちついて みちゃおれん!
でも 先輩 子どもたちと 気が あう みたいじゃ ないですか
あいつの 精神年齢が ちょうど 小学一年で ピタリ とまってるから あうんだ!
こら こら ちゃんと ならべってんだよ! おい!
コツ

お巡りさーん おしっこ
ぼくも おしっこ
ちぇっ めんどうくせえなあ
もうすぐ電車がきますから子どもたちをホームにいれてください!
はい! はい! はい! はい!
おい おまえら 早くしろ!
でなくなっちゃった
ぼくも でてこない
なんだとっ
てめえら したくねえなら はじめから いうな!
こら 両津 早く せんか おいて いくぞ!
特急
くそ! なんで わしばかり こんな目に あうんだ!

こら　こら　そっち　いっちゃ　いかん！　ちゃんと　席に　ついてろ！
まったく　ちょこまか　動きやがる　ガキどもだ
バカ　窓から　とびおりるん　じゃない！
ひとりでも　ケガしたら　わしは　クビに　なるんだ　からな！
こらーっ　おまえら！　そんなとこで　小便するな！
先輩も　たいへんですね　席につく　ヒマが　ないですよ
ふだんの　勤務にも　あのくらいの　熱意が　あればな……

くそ！ニワトリよりも始末が悪い！いくら注意してもきりがない！
こうなったら実力行使しかねえ！
こうやってむすんどきゃあバラバラになることはないだろ！
ガヤ
ガヤ
ガヤ
これが本当のほしガキだ！わははは
先輩やりすぎですよ！
せんたく物じゃあるまいしヒモでむすぶことないでしょ
だまれっうるさくいうとおまえもつるすぞ！

ピレイー
もうすぐつきますから……
おうそうか！
ヒモをとくと またバラバラになるからこのままつれてこう
ゾロ
ゾロ
ゾロ
ゾロ
はい！おじさんのあとについてきて！
亀有よい子会

ギギイ
特急
田舎
あっち
そっち
いやあ やっと ついたなあ
田舎駅
INAKA STATION
チチチ…
ピィ ピィ
部長 自然は いいですねえ
いやあ まったく!
なに やってるん です 先輩?

みりゃわかるだろ テントをはってんだよ おまえも手伝え！
駅前でキャンプなんかできないでしょ！
あの山の上でキャンプをするんですよ あそこで！
あんな遠くまでいくの めんどうじゃないか！ ここのほうが駅も近いし帰りが楽だ
そんなのはキャンプじゃなく野宿ですよ
さあ みんなついてきて——っ
ちぇっ めんどうくせえ いちいち！
うわーっ きれいな川が流れてるよォ〜〜〜
ザーー

ふう
あつくて
ばてちまう
よ…くそ
中川
水くれよ
水!
えっ
また
ですか!?
先輩だって
水筒3つも
もってるじゃ
ないですか
右はしのは
酒が
はいってて
まん中が
ウイスキー
左はしが
コーヒーで
水は
まったく
なし!
ちぇっ
あーっ
ぼくのも
カラだ!
なん
だと!
まったく
気のきかん
やつだ
かせ!
ササッ
先輩
あぶない
ですよーっ
わしに
とっては
この程度
朝メシまえだ!
ザザザー!ッ

お巡りさん なにやって いるのォ
ばかっ のるんじゃない!
バギギッ
ああっ
バシャン
ぎゃあ うわっぷ
ブバババ
先輩! 両津! 子どもをたすけんとクビだぞ!
ザザー
わかってるよ! こっちだって命がけなんだぞくそ!
バシャバシャ
パシャッ
うわっぷぷっ
ザザザ

あっ
しずん
だ!
このバカ
足に しがみ
つくな!
およげ
ないだろ
手に
しがみつけっ
ノータリンめ
くそう!
なんの
インガで…
山にきて
水の中で
およがにゃ
ならんの
!
おお
無事だったか
よかった
よかった!
わしの
ことなど
まるで
眼中にない!
先輩
水 のみ
ますか?
バカ!
今 川の中で
いやってほど
のんだとこだっ
!
どいつも
こいつも
かってなこと
いいやがって!

みなさん ここで 小休止 しまーす
チチチチ
亀有 よい子の会
ドスッ
ふう まったく じょうだん じゃねえ 重労働 だよ！
38
中川 キャンプ場は まだ 先か？
あと 3キロほどで つきます
うひゃーっ まだ そんなに 歩くの かよ！
車で のぼりゃ 楽なのに バカバカ しい！
ドテン
ゾロ
ゾロ

近よるんじゃねえ! あつっくるしい!
はなれろ! しっしっ!
まったくこんなことならくるんじゃなかったよ!
きゃっきゃっ
ピタ!
いいかげんにしろ! チョコマカうるせえやつらだ
つくだ煮にしてくっちまうぞ
ぎゃあああん
こら 両津 なかすやつがあるか!
な…ないてない! わらってるんですよ! ほら! ほら!
ぎゃあ
ああ

ちぇっ だから ガキは にがて なんだよ！
なんだか 雲ゆきが あやしく なってきま したよ……
ねえ お巡りさん あれ とって！
ん！ なんだ？
あの花か？ とったって しょうが ねえだろ
とって とって とって ーっ
まったく 人を なんだと 思ってんだ
しょうが ねえなあ！
そこの ふたり！ 早く きて！ 出発 するよ！
はーい
ほら とった… あ！
あいつら どこ いったんだ くそ！
じょう だんじゃねぇ 雨まで ふって きやがった！
ポッ
ポッ

こちら葛飾区亀有公園前派出所㉔(完)

★週刊少年ジャンプ1978年36号

解説エッセイ「ウォーコミック『こち亀』」

浅香昌宏（月刊『コンバットマガジン』編集長）

コルトM16A1アサルトライフル、FA-MAS（ファマス）、H《ヘッケラー》&K《コック》PSG-1、MP-5シリーズ、AK-47、M11イングラム、ステアーAUG、M1カービン、三八式小銃、MG-34機関銃、M-60、キャリコピストル、M3グリースガン、ベレッタM12ペネトレーター、ニューナンブ、ワルサーMPL、UZI（ウージー）、トンプソン、レミントンM700、M870ショットガン、スパス12、M203グレネードランチャー、S《スミス》&W《ウエッソン》M29、M659、M36チーフスペシャル、南部《なんぶ》14年式拳銃、コルトS.A.A.（ピースメーカー）、M1911ガバメント、コルト25オート、357パイソン、ドミネーター、キングコブラ、オートマグ、デザートイーグル、デリンジャー、モーゼルM712、ベレッタ　ジャガーモデル71、トカレフ、カップガン、自衛隊64式小銃、明治26年回転式弾装拳銃にSS（スペシャル・セキュリティ）チームのアサルトライフルSS-1、9mm口径ハンドガンPS-1・2・3、ベルクマン、SS9000、各種スコープ、モデルガンやサバイバルゲーム(6㎜BB弾を使用する戦争ゴッコ)のガスガンに電動ガンのカスタム。ゼロ戦、五式戦闘機、月光《げっこう》、桜花《おうか》、P-51マスタング、B-29、B-36爆撃機、C-5ギャラクシー輸送機、F-104スターファイター戦闘機、F-14トムキャット、MiG《ミグ》-25フォックスバット、MiG29ファルクラム、F-117ナイトホーク、AH64アパッチ、AH-1コブラ、ミルMi-24ハインドにSH-60やHSS-2対潜哨戒ヘリ。キングタイガー戦車、シュビムワーゲン、列車砲、ウイリスジープ、ハマー、陸上自衛隊74式戦車に60式106㎜無反動砲。米空母CVN-70「カールビンソン」、LCAC(輸送用エアクッション艇)に原子力潜水艦等。さらにG.I.ジョー、G.I.ナース、G.I.ジェーン、コンバットジョー、ラジコンに戦車、米海軍特殊部隊シールズ、SOCOM(アメリカ統合特殊軍団)、はたまたカーネル・バクリューこと爆竜《ばくりゅう》大佐まで登場する『こちら葛飾区亀有公園前派出所』はスゴイ! これだけのミリタリー装備が登場するものは月刊『コンバットマガジン』と、この『こち亀』しかないだろう。

まだ驚くのは早い。「ガンマニアの巻」(第25巻)では昭和46年、52年に亘《わた》る銃刀法改定のモデルガン規制までくわしく描かれ、難しい法律もすんなり理解でき、逆にガンマニアの内心までも表現した涙なくしては語れないストーリー。また「爽やかサバイバル!?の巻」(第90巻)

や近年の「シルバーサバイバルチームの巻」（109巻）ではサバイバルゲームのルールや注意、解説を丁寧にしていただき、後者では我が『コンバットマガジン』が4冊も登場するシーンもある。もうこうなると軍事専門誌も脱帽だ。それもこれも原作者の秋本《あきもと》治《おさむ》先生がミリタリーやエアソフトガンをお好きな証拠。まさにミリタリーは、ジャパニメーションの原点と言ってよいだろう。遡《さかのぼ》れば、望月《もちづき》三起也《みきや》先生や松本零士《まつもとれいじ》先生はもちろん、永井《ながい》豪《ごう》先生の新TV版『キューティーハニー』でも悪役がベレッタM92Fを使っていたぐらい（おおっと、秋本先生の話に戻さねば）。

『コンバットマガジン』編集部と秋本先生の繋《つな》がりは古く、約15年のお付き合いである。よって少なからずとも、軍事ネタを『こち亀』にご協力できて大変光栄なのである。またバンダイ製両《りょう》さん超合金・アクションドールの企画にも参加でき、シリーズも続きました。また また余談ですが、過去『コンバットマガジン』でヴィンテージG.I.ジョー用のデッドストック日本兵ユニフォームのプレゼントクイズ・コーナーに、秋本先生は読者に交ざって編集部に応募して来たでしょ！　それも速達ハガキで（皆様には1か月間の期間がありますから、ごゆっくりご応募くださいませ）。慌てるから答えは間違っているし……。それに住所で分かりますよ、毎月贈呈本も送ってるんですから……。

さて、実際私が秋本先生と初めてお会いしたのは、都内のミリタリーイベント会場でしたね。偶然に私が1/6スケール・アクションフィギュア（要はG.I.ジョーのこと）用南部14年式拳銃のサンプルをメーカーから預かっていた時でした。秋本先生はこれを見るなり、ヨダレをダラダラ流し（ウソ）、初対面とは思えないほどのフレンドシップ（マニア同士には心が通じるのです!?）を感じ、結局私はそのまま先生に渡してしまいました（記事にできませんでした。メーカーさん、ゴメンナサイ……）。その瞬間、先生は伊勢エビが敵から逃げるように、腰を折る姿勢で前かがみとなり、ピクピクと体全体で会釈《えしゃく》をし始めた。私は『これが芸能人高額納税者番付に名の出る本当の秋本 治だろうか？』と感じたほど。素直で、子供みたいに喜んでいたのを記憶しております。そう、ちなみにこの南部14式拳銃の上代はたったの1，700円でした……（先生には価格を秘密にしておいたのに、これでバレてしまった）。

「S.S.《スペシャルセキュリティ》チーム誕生の巻」（第55巻）も秀作であった。アメリカンポリスの特殊部隊SWAT（スワット）装備で身を固めた中川《なかがわ》、麗子《れいこ》、そして両《りょう》さんはもう最高。プロフェッショナルな行動は警視庁特殊部隊SATも顔負けだ。こうなれば警視庁のマスコット・ピーポくんに代わり両さん人形にしたらいかでしょうか、前田《まえだ》健治《けんじ》警視総監殿！ 交番勤務から機動隊までこなす日本人ヒーローはこの両津《りょうつ》勘吉《かんきち》しかもういない。それはともかく、立派な軍事評論家を目指せよ、両さん！

（文中の巻数は、すべてジャンプ・コミックスのものです。）

掲載作品は集英社より刊行されたジャンプ・コミックス『こちら葛飾区亀有公園前派出所』第9巻（1979年9月）第10巻（同12月）第11巻（1980年2月）の中から、著者自らが精選して収録したものです。

集英社文庫〈コミック版〉7月新刊 大好評発売中

夢《ゆめ》幻《まぼろし》の如《ごと》く 7〈全8巻〉
本宮ひろ志

本能寺で死んだはずの織田信長《おだのぶなが》
彼は奇跡の生還を遂げ、秀吉《ひでよし》の
に現れた！　天下統一の夢を超
た信長の新たなる野望とは…!?

とっても！ラッキーマン 7 8〈全8巻〉
ガモウひろし

日本一ツイてない中学生・追手《ついて》
洋一《よういち》が、幸運の星から来たラッ
ーマンと合体すればツイてるヒ
ローに大変身！宇宙の悪に挑む

こち亀文庫 17
秋本 治

前人未到のコミックス160巻を突
した長人気作『こち亀』が再び
庫で登場！笑いと興奮、そして
つかしネタ満載の101巻からを収録

浅田弘幸作品集2
眠兎《ミント》〈全2巻〉
浅田弘幸

暗い過去を持つ二人の少年、空
眠兎《ミント》と小泉時雨《こいずみしぐれ》がお互いを意識し
ぶつかり合う！　浅田弘幸が描く
コミック叙情詩、待望の文庫化！

BADだねヨシオくん！ 2〈全3巻〉
浅田弘幸

新たなライバル登場！　そしてヨ
シオの父の謎に迫るバトルＧＰ《グランプリ》
２戦スタート!!　読切『しやわせ
家族戦士プリチーバニー』も収

ラブホリック 5〈全5巻〉
宮川匡代

シゲルは食品メーカーで働くO
口の悪い上司・朝比奈《あさひな》課長には
られてばかり。でも最近、男として
意識し始め!?　新世紀オフィスラブ

花になれっ！ 9〈全9巻〉
宮城理子

地味な女子高生・ももは、ひょん
な事から超イケメンな蘭丸《らんまる》の家で
住み込みメイドをする事に。その
上、蘭丸の手でキレイに変身して!?

ラブ♥モンスター 1〈全7巻〉
宮城理子

ＳＭ《セントモンスター》学園に入学したヒヨを待って
いたのは、イケメン生徒会長・黒《くろ》
羽《う》をはじめ、個性豊かな妖怪たち
で…!?　妖怪ラブ♥ファンタジー

谷川史子初恋読みきり選
ごきげんな日々
谷川史子

誰もが経験したことのある、初め
ての恋…。あの日に感じた、切な
くて甘酸っぱい気持ちを鮮やかに
描いた、珠玉の初恋読みきり選。

谷川史子片思い作品集
外はいい天気だよ
谷川史子

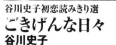

付き合っていても距離を感じる恋
人同士…、一方通行な想いに悩む
彼女など…。様々な片思いのかた
ちを繊細に綴った、片思い作品集。

集英社文庫〈コミック版〉既刊リスト

●秋本　治
自選こち亀コレクション
こちら葛飾区亀有公園前派出所〈全26巻〉
こちら葛飾区亀有公園前派出所ミニ〈全4巻〉
こちら葛飾区亀有公園前派出所・大入袋〈全10巻〉
秋本治傑作集〈上・中・下〉
こち亀文庫①～⑰
●浅田弘幸
浅田弘幸作品集1　蓮華
浅田弘幸作品集2　眠兎
●麻宮騎亜
BADだねヨシオくん！①②
快傑蒸気探偵団〈全8巻〉
●浅美裕子
WILD HALF〈全10巻〉
●荒木飛呂彦
魔少年ビーティー
バオー来訪者
ジョジョの奇妙な冒険①～㊿
オインゴとボインゴ兄弟大冒険

●作・三条　陸
画・稲田浩司
監修・堀井雄二
ドラゴンクエスト　ダイの大冒険〈全22巻〉
●今泉伸二
空のキャンバス〈全5巻〉
●うすた京介
武士沢レシーブ
●梅澤春人
BØY〈全20巻〉
●江川達也
まじかる☆タルるートくん〈全14巻〉
●えんどコイチ
死神くん〈全8巻〉
ついでにとんちんかん〈全6巻〉
●作・真倉　翔
画・岡野　剛
地獄先生ぬ～べ～〈全20巻〉
●荻野　真
孔雀王〈全11巻〉
孔雀王―退魔聖伝―〈全7巻〉
夜叉鴉〈全6巻〉

●奥　浩哉
変〈全9巻〉
●作・写楽麿
画・小畑　健
人形草紙あやつり左近〈全3巻〉
●作・城アラキ
画・甲斐谷忍
監修・堀　賢一
ソムリエ〈全6巻〉
●かずはじめ
MIND ASSASSIN〈全3巻〉
明稜帝梧桐勢十郎〈全6巻〉
かずはじめ作品集1　遊天使
かずはじめ作品集2　Juto
かずはじめ作品集3　0-Game
●桂　正和
ウイングマン〈全7巻〉
超機動員ヴァンダー
プレゼント・フロムLEMON
電影少女〈全9巻〉
●作・鏡　丈二
画・金井たつお
ホールインワン〈全8巻〉

●ガモウひろし
とっても！ラッキーマン〈全8巻〉
●きたがわ翔
19〈NINETEEN〉〈全7巻〉
ホットマン〈全10巻〉
B・B・フィッシュ〈全9巻〉
●桐山光侍
NINKU―忍空―〈全6巻〉
●車田正美
風魔の小次郎〈全6巻〉
男坂〈上・下〉
聖闘士星矢〈全15巻〉
雷鳴のZAJI
あかね色の風
●作・寺島　優
画・小谷憲一
テニスボーイ〈全9巻〉
●許斐　剛
COOL〈全2巻〉
●佐藤　正
燃える！お兄さん〈全12巻〉
●柴田亜美
自由人HERO〈全8巻〉

●作・城アラキ
画・志水三喜郎
監修・堀　賢一
新ソムリエ　瞬のワイン〈全6巻〉
●新沢基栄
3年奇面組〈全4巻〉
ハイスクール！奇面組〈全13巻〉
●鈴木　央
ライジングインパクト〈全10巻〉
●高橋和希
遊☆戯☆王〈全22巻〉
●高橋陽一
キャプテン翼〈全21巻〉
キャプテン翼―ワールドユース編―〈全12巻〉
キャプテン翼 ROAD TO 2002〈全10巻〉
●高橋よしひろ
エース！〈全6巻〉
銀牙―流れ星　銀―〈全10巻〉
白い戦士ヤマト〈全14巻〉
●武井宏之
仏ゾーン〈全2巻〉

JASRAC 出9902799-901

集英社文庫(コミック版)

こちら葛飾区亀有公園前派出所《かつしかくかめありこうえんまえはしゅつじょ》 24

1999年4月21日　第1刷
2009年7月31日　第2刷

定価はカバーに表示してあります。

著　者　秋《あき》　本《もと》　治《おさむ》

発行者　太　田　富　雄

発行所　株式会社　集　英　社
東京都千代田区一ツ橋2−5−10
〒101-8050
電話　03 (3230) 6251 (編集部)
03 (3230) 6393 (販売部)
03 (3230) 6080 (読者係)

印　刷　図書印刷株式会社

ISBN4-08-617124-4　C0179